A HISTÓRIA DA CIÊNCIA
POR SEUS GRANDES NOMES

TEXTOS: **JOHN FARNDON**

Ediouro Publicações de Lazer e Cultura Ltda.
Rio de Janeiro, 2015

A HISTÓRIA DA CIÊNCIA

 Comitê Executivo *Ediouro Publicações Ltda.*
Jorge Carneiro e Rogério Ventura
Coordenação Editorial
Daniel Stycer
Edição
Dirley Fernandes
Assistência de edição
Vinicius Palermo
Direção de Arte
Sidney Ferreira
Pesquisa iconográfica
Paloma Brito
Tradução
Carlos Eduardo Mattos, Samantha Nastacci e Davi Figueiredo de Sá
Revisão
Ricardo Jensen de Oliveira
Assistência de Produção
Raquel Souza
Capa: O Homem vitruviano, de Leonardo da Vinci

Todos os direitos reservados. Nenhuma parte desta obra pode ser reproduzida ou transmitida por qualquer forma e/ou quaisquer meios (eletrônico ou mecânico, incluindo fotocópia e gravação) ou arquivada em qualquer sistema ou banco de dados sem autorização dos detentores dos direitos autorais

Copyright © *Arcturus Publishing Limited*
Ediouro Publicações Ltda.
Rua Nova Jerusalém, 345
CEP: 21042-235
Rio de Janeiro – RJ
Tel. (21) 3992-8200
www.ediouro.com.br
www.historiaviva.com.br
facebook.com.br/historiaviva

APRESENTAÇÃO

TEMPO E CONHECIMENTO

As histórias contidas nas páginas seguintes revelam os esforços de grandes homens que têm em comum a inquietude diante dos fenômenos à sua volta. São todos heróis civilizatórios, à medida em que se recusaram a aceitar a visão que era a mais comum entre os homens de sua época, sejam eles os gregos da Siracusa de Arquimedes, ou os moradores da aldeia global no século em que nós e Stephen Hawking vivemos, a de um universo subjugado à vontade dos deuses.

No entanto, a história que esse livro ilustrado da História Viva conta não é somente a desses heróis; é antes a do desenvolvimento do conhecimento humano e, por extensão, a da civilização. A própria cronologia das conquistas da ciência enfocadas nos capítulos a seguir revela as mudanças de paradigma por que passamos ao longo dos séculos. De início, houve o primado dos gregos – e como devemos a eles! – na Antiguidade. Durante a Idade Média, as conquistas do conhecimento vêm do mundo árabe. O Ocidente adotara a doutrina cristã como fonte para todas as respostas sobre o mundo natural. Somente com o advento da Renascença e a ascensão dos ideais iluministas, o homem passa a ter fé na sua própria capacidade de buscar respostas tendo a razão como instrumento. E as conquistas se multiplicam em todos os campos: do mundo microscópico até a astronomia. Novos campos da ciência surgem e a sociedade se transforma em ritmo acelerado.

Mas a cada passo, o choque com as concepções religiosas provoca atritos. No entanto, a impossibilidade de conter os novos avanços, mesmo com resistências obscurantistas renhidas, revela um novo paradigma histórico, no qual a ciência alcançou uma autoridade maior do que a das crenças religiosas. Afinal, *"eppur si muove"*.

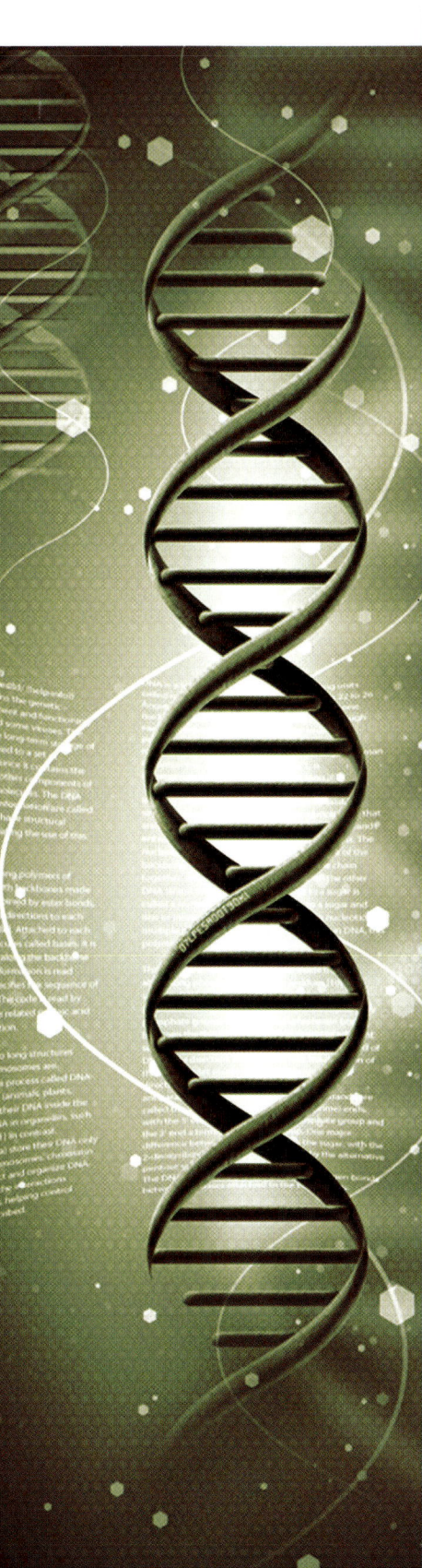

Galileu revela os anéis de Saturno

SUMÁRIO

CAPÍTULO I – ANTIGUIDADE E IDADE MÉDIA
- Euclides — 8
- Arquimedes — 11
- Hiparco e Cláudio Ptolomeu — 15
- Cientistas árabes medievais — 19

CAPÍTULO II – RENASCENÇA
- Leonardo da Vinci — 23
- Nicolau Copérnico — 28
- André Vesálio — 32
- Galileu Galilei — 35

CAPÍTULO III – SÉCULO XVII
- Christiaan Huygens — 40
- Anton von Leeuwenhoek — 44
- Robert Hooke — 47
- Sir Isaac Newton — 51

CAPÍTULO IV – SÉCULO XVIII
- Carlos Lineu — 56
- James Hutton — 60
- Antoine Lavoisier — 63
- John Dalton — 66

CAPÍTULO V – SÉCULO XIX
- Michael Faraday — 70
- Charles Babbage — 73
- Charles Darwin — 76
- Louis Pasteur — 80
- Gregor Mendel — 84
- Dmitri Mendeleyev — 87
- James Clerk Maxwell — 90

CAPÍTULO VI – SÉCULO XX
- Max Planck — 92
- Marie Curie — 96
- Albert Einstein — 100
- Alfred Wegener — 105

CAPÍTULO VII – SÉCULOS XX E XXI
- Niels Bohr — 110
- Edwin Hubble — 113
- Dmitri Mendeleyev — 116
- Linus Pauling — 120
- Francis Crick, James Watson e Rosalind Franklin — 123
- Stephen Hawking — 127

Euclides, óleo sobre tela, Jusepe de Ribera, c. 1630-1635

Euclides
c. 300 a.C.

O DOMÍNIO DOS ELEMENTOS

HERDEIRO DOS PRIMEIROS SÁBIOS GREGOS, ELE INAUGUROU, NO TEMPO EM QUE TODOS OS FENÔMENOS DO MUNDO ERAM CREDITADOS AOS DEUSES, UM MODO DE PENSAR CALCADO NA RAZÃO

Já foi dito que a obra-prima de Euclides, *Os elementos*, é o livro matemático mais amplamente traduzido, publicado e estudado no mundo ocidental. *Os elementos* falam basicamente de geometria, a matemática das formas. É um estudo tão minucioso que permanece como a estrutura básica para a geometria nos dias atuais, milhares de anos após ter sido escrito. A geometria das superfícies planas – linhas, pontos, formas e sólidos – ainda é chamada pelos matemáticos de "geometria euclidiana".

Em *Os elementos* está sumarizada a maioria das regras básicas da geometria – sobre triângulos, quadrados, círculos, linhas paralelas e assim por diante – que as crianças aprendem atualmente na escola. O grande livro de Euclides assinalou também o nascimento de um modo totalmente novo de pensar, com o qual o caminho para a verdade podia ser encontrado pela lógica, raciocínio dedutivo, evidência e demonstração, e não simplesmente por saltos de intuição e pela fé. A espécie humana não precisava mais considerar o funcionamento do mundo como um mecanismo derivado dos caprichos dos deuses, e sim como algo que seguia leis naturais que podiam ser gradativamente descobertas, usando-se os métodos certos.

Essa proeza não se deveu exclusivamente a Euclides. Ele se apoiou em séculos de esforço intelectual dos pensadores gregos, desde o quase lendário Tales de Mileto, no século VII a.C. No entanto, a obra euclidiana sintetizou essa abordagem de um modo sistemático e confiável, o que garantiu sua influência duradoura. Spinoza, Kant e Lincoln estão entre os muitos que, ao longo da história, foram inspirados por seu modo de pensar.

EUCLIDES, O HOMEM

Conhece-se muito pouco sobre o próprio Euclides. Parece provável que ele tenha vivido por volta de 300 a.C. em Alexandria, a grande cidade egípcia fundada pouco tempo antes por Alexandre, o Grande, na orla do Mediterrâneo. O primeiro governante grego do Egito, Ptolomeu Sóter (c. 367–283 a.C.), criou a Biblioteca de Alexandria, que se tornou a mais notável instituição intelectual do mundo antigo, e Euclides foi provavelmente o principal professor de matemática da biblioteca. Ele talvez tenha sido influenciado ali pelo pensamento platônico – Arquimedes chegou ao local pouco depois da morte de Euclides.

Aparentemente, Euclides foi um mestre generoso e inspirador. Segundo uma fonte, ele era "muito justo e benevolente para com todos que em alguma medida fossem capazes de fazer avançar a matemática, cuidadoso para nunca ofender uma pessoa e, embora fosse um acadêmico renomado, jamais se envaideceu". Outra fonte relatou o que aconteceu quando um estudante, frustrado em seus esforços para aprender geometria, perguntou o que ganharia com o seu estudo. Em resposta, Euclides teria chamado um serviçal, entregando-lhe algum dinheiro e dizendo: "Dê-lhe essas moedas, uma vez que ele deve lucrar com o que aprende". Isso é praticamente tudo o que se conhece. Na verdade, a maior parte dessas histórias provém dos escritos do filósofo grego Proclo, que viveu cerca de 800 anos mais tarde.

Tão pouco é conhecido sobre Euclides que alguns pesquisadores sugeriram que *Os elementos* poderiam ser a obra de uma equipe de acadêmicos trabalhando sob sua orientação ou simplesmente o nome de um grupo de matemáticos de Alexandria. De todo modo, não há dúvida sobre a importância de *Os elementos* e de outros trabalhos menos conhecidos de Euclides.

A grande realização de Euclides foi combinar os teoremas geométricos de seu tempo numa estrutura coerente de teoria básica e demonstrações, que constitui o fundamento de toda a ciência até os dias atuais. A geometria, a matemática das formas, já estava bem desenvolvida na época de Euclides. Ela provavelmente havia começado milhares de anos antes, originando-se da necessidade das pessoas de calcular a área de suas terras. Foi desenvolvida até um nível sofisticado pelos egípcios, que a utilizaram na construção de suas pirâmides. Eles chamaram esse conhecimento de "medição da terra", e os gregos adotaram o termo – "geometria" é simplesmente a palavra grega para "medição da terra".

Em 1858, o historiador escocês Alexander Rhind encontrou um rolo de papiro escrito por um escriba egípcio chamado Ahmes por volta de 1650 a.C. O Papiro de Rhind e outros atualmente encontrados em Moscou (os Papiros de Moscou) mostram que os antigos egípcios sabiam muito sobre a geometria dos triângulos. Por exemplo, eles calculavam a altura das coisas com base no comprimento de sua sombra no solo. O que Euclides e os antigos gregos fizeram foi desenvolver essas técnicas práticas num sistema puramente teórico, criando o que chamaríamos de "matemática pura".

Os gregos buscavam verdades gerais abstratas muitas vezes por puro diletantismo, mas o que descobriram tornou o seu trabalho muito mais importante do que um passatempo intelectual. Seu método revelou-se um instrumento poderoso quando se percebeu que as verdades gerais que ele produzia podiam ser aplicadas a qualquer situação. O que era verdadeiro sobre triângulos numa determinada situação era verdadeiro numa condição totalmente distinta. Tales de Mileto deixou aturdidos os antigos egípcios quando visitou o país e lhes mostrou como o método dos triângulos similares podia ser usado para medir tanto a altura das pirâmides quanto a distância de um navio no mar.

POSTULADOS, TEOREMAS E DEMONSTRAÇÕES

Euclides e os gregos deram à matemática um poder extraordinário ao fazer dela um sistema lógico. Eles introduziram a ideia de demonstrações, bem como a ideia de que as regras podiam ser deduzidas logicamente de certos pressupostos ou postulados, tais como "Uma linha reta é a menor distância en-

Euclides deu aulas na Biblioteca de Alexandria, a mais notável instituição intelectual do mundo antigo

Grande Biblioteca de Alexandria, Sketch, Guy Dias

tre dois pontos". Os postulados são em seguida combinados para construir uma ideia básica para uma regra, chamada de teorema, que é, então, comprovado ou refutado.

No cerne de *Os elementos* de Euclides, estão cinco postulados ou axiomas básicos. Em termos modernos, são os seguintes:

- Uma linha reta pode ser traçada entre dois pontos determinados;
- Essa reta pode ser prolongada indefinidamente em ambas as direções;
- Um círculo pode ser traçado com qualquer raio, tendo qualquer ponto como seu centro;
- Todos os ângulos retos são semelhantes e
- Se duas linhas cruzam uma terceira linha de tal forma que a soma dos ângulos internos em um lado é menor que dois ângulos retos, então as duas linhas se cruzarão se forem estendidas indefinidamente.

Os primeiros quatro postulados parecem evidentes por si mesmos atualmente, mas para as pessoas daquela época não eram. Foram os esforços de Euclides para definir os conceitos mais básicos que tornaram seu trabalho tão profundamente influente. Apenas com definições inequívocas podemos dar de forma lógica cada novo passo – qualquer frouxidão nas definições invalida de imediato a cadeia da lógica.

LINHAS PARALELAS E AS LIMITAÇÕES DE EUCLIDES

O quinto dos postulados de Euclides é menos evidente por si mesmo e diz respeito a linhas paralelas. Se parte de uma linha cruza duas outras linhas de tal modo que os ângulos internos do mesmo lado somados equivalem exatamente a dois ângulos retos, então as duas linhas que ela cruza devem ser paralelas. Por isso, o quinto postulado é chamado de "postulado das paralelas". Esse postulado foi considerado uma verdade central básica, está no cerne de todas as construções geométricas fundamentais e tem incontáveis aplicações práticas: as linhas de trem, por exemplo. Contudo, Euclides não ficou totalmente feliz com ele. A geometria de Euclides funciona perfeitamente para superfícies planas, bidimensionais ou tridimensionais e a maior parte das situações do dia a dia. Mas, assim como a superfície da Terra não é plana, por mais que pareça ser, também o espaço é na verdade curvo e tem muito mais do que três dimensões, incluindo a do tempo. O postulado das paralelas de Euclides afirma que apenas uma linha pode ser traçada paralela a outra por um determinado ponto, mas, se o espaço é curvo e multidimensional, muitas outras linhas paralelas podem ser traçadas.

No século XIX, alguns matemáticos, como Carl Gauss, começaram a compreender as limitações da geometria euclidiana e a desenvolver uma nova geometria para o espaço curvo e multidimensional.

Todavia o método de Euclides de estabelecer verdades básicas por meio de raciocínios inequívocos – ou seja, pela lógica, raciocínio dedutivo, evidência e demonstração – é tão poderoso atualmente como sempre foi, tão presente que nós o tomamos como senso comum.

Arquimedes, *gravura, escola francesa, séc. XVII, Biblioteca Nacional de Paris*

Arquimedes

c. 287–212 a.C.

O MOVEDOR DE MUNDOS

ELE FOI UM DOS MAIS PROLÍFICOS INVENTORES DA HISTÓRIA, MAS PREFERIA SER LEMBRADO POR SUAS TEORIAS. SEU TÚMULO TINHA GRAVADA A FIGURA DE UMA ESFERA INSCRITA NUM CILINDRO. A DESCOBERTA DA RELAÇÃO ENTRE OS DOIS SÓLIDOS FOI UM DE SEUS MOMENTOS GLORIOSOS

"Deem-me um ponto de apoio e eu moverei a Terra", teria dito Arquimedes ao rei Hierão II de Siracusa, na Sicília, por volta de 260 a.C. Segundo a história, para o espanto de todos os presentes, Arquimedes tinha acabado de levar sozinho até o mar o *Siracusia*, de 4.064 toneladas, um dos maiores e mais luxuosos navios construídos na Antiguidade. A tarefa de lançar o monstro ao Mediterrâneo havia mobilizado os esforços de enormes equipes puxando cordas. Arquimedes, graças a um arranjo engenhoso de alavancas e roldanas, realizou facilmente a tarefa, praticamente sem auxílio.

Não é de espantar que ele fosse uma lenda durante a sua vida e que os relatos sobre sua genialidade se espalhassem por toda parte. Arquimedes foi o maior inventor da Antiguidade. Não apenas inventou roldanas e alavancas para lançar navios ao mar, mas também construiu a primeira bomba d'água, que é chamada de "parafuso de Arquimedes" e ainda é usada em muitos lugares. Ele criou um maravilhoso planetário para mostrar os movimentos de todos os planetas e desenhou uma máquina para lançar alcatrão ardente contra embarcações inimigas. E quando Siracusa, sua cidade natal, foi sitiada por uma frota romana, construiu catapultas para bombardear os navios com enormes pedras, um sistema de espelhos para focalizar a luz do sol nos barcos e incendiá-los, dispositivos para derrubar escadas de assalto e até mesmo um braço de guindaste com um grande gancho de metal – a chamada "garra de Arquimedes" – para erguer da água os barcos inimigos e derrubá-los por terra.

Ainda assim, as invenções de Arquimedes eram, para ele, realizações menores. Como a maioria dos pensadores gregos, ele atribuía uma importância maior ao pensamento abstrato científico e às ideias matemáticas do que a suas aplicações práticas.

O escritor romano Plutarco insistiu que Arquimedes "considerava sórdida e ignóbil a construção de instrumentos, ou qualquer arte voltada para o uso e o lucro, e se esforçava por alcançar aquelas coisas que, em sua beleza e excelência, permanecem além de qualquer contato com as necessidades comuns da vida".

As palavras de Plutarco, no entanto, continham uma boa dose de exagero, porque Arquimedes, mais que qualquer outro pensador de sua época, não hesitava em construir máquinas para testar suas ideias e realizar experimentos práticos. Ele era genuinamente estimulado por sua própria inventividade. Ainda assim, foram suas conquistas puramente intelectuais que constituíram seu legado duradouro e fizeram dele o maior cientista da história até o tempo de Isaac Newton, que, aliás, tinha profunda reverência por ele.

Na verdade, Arquimedes foi o primeiro grande cientista do mundo. Antes dele, outras mentes brilhantes haviam estudado as questões científicas, mas ele foi o primeiro a pensar sobre qualquer problema com a abordagem científica que agora consideramos quase natural. Todas as suas teorias abstratas podiam ser comprovadas ou refutadas por meio de experimentos práticos e cálculos matemáticos, que é o método que conduziu a praticamente todas as conquistas científicas até os dias de hoje.

A VIDA DE ARQUIMEDES

Arquimedes nasceu em 287 a.C. em Siracusa, na Sicília, que era então colônia grega. Ou seja, ele era grego, não siciliano. A cidade era um núcleo de fronteira, entre as potências guerreiras de Roma e Cartago. No entanto, não era em absoluto um lugar intelectualmente atrasado. O rei Hierão II e seu filho, o rei Gelão, eram governantes esclarecidos. Com efeito, Arquimedes pode ter sido tutor de Gelão.

Ainda assim, se alguém quisesse receber uma educação adequada, Alexandria, no Egito, era o grande polo de atração, e para lá seguiu o jovem Arquimedes. A cidade já possuía uma biblioteca sem rival, contendo pelo menos 100 mil rolos, incluindo toda a inestimável coleção das obras de Aristóteles. Foi ali que o grande Euclides ensinou geometria, que Aristarco mostrou que a Terra se move em torno do Sol e que Hiparco fez o primeiro grande catálogo de constelações. E foi ali que, muito mais tarde, Cláudio Ptolomeu escreveu o *Almagesto*, o mais influente livro sobre a natureza do universo por 1.500 anos.

Arquimedes obteve seus fundamentos em ciência e matemática em Alexandria. Segundo alguns relatos, ele foi empregado por algum tempo em obras de irrigação em larga escala no delta do Nilo; foi provavelmente enquanto estava no Egito que ele inventou seu famoso parafuso para bombear água.

Todavia, depois de ter retornado a Siracusa, ele permaneceu ali durante toda a sua longa vida, tão absorto em altos pensamentos que negligenciava as necessidades do cotidiano. A mais famosa história sobre ele diz respeito a uma descoberta que teria ocorrido durante um banho. O rei Hierão dera a um ourives algum ouro e lhe pedira que fizesse uma coroa com o material. Hierão suspeitava que o astuto ourives havia embolsado parte do ouro, substituindo-o por um metal mais barato. No entanto, a coroa pesava exatamente o mesmo que o ouro original. Como a fraude podia ser comprovada, perguntou Hierão a Arquimedes, e até mesmo o pensador considerou isso um problema difícil. Então, certo dia, enquanto meditava sobre a questão durante um banho, ele repentinamente notou que o nível da água se elevou quando mergulhou mais fundo na banheira. Arquimedes saltou da banheira e correu nu pelas ruas até o palácio do rei, gritando a plenos pulmões: "*Eureka! Eureka!*" (Encontrei! Encontrei!).

Mais tarde ele mostrou ao rei a sua ideia. Primeiro, mergulhou em água uma peça de ouro que pesava o mesmo que a coroa e apontou a elevação subsequente no nível da água. Em seguida, imergiu a própria coroa e mostrou que o nível da água estava mais alto do que antes. Arquimedes explicou que isso significava que a coroa devia ter maior volume do que o ouro, embora fosse do mesmo peso. Portanto, não podia ser de ouro puro. O ourives fraudulento foi executado.

Verdadeira ou falsa, essa história é típica das soluções científicas espantosamente refinadas e elegantes de Arquimedes para questões delicadas. Talvez esse tenha sido o ponto de partida para o seu revolucionário trabalho em hidrostática – a parte da física que estuda o comportamento das coisas nos líquidos em repouso.

VISLUMBRES MATEMÁTICOS

Arquimedes tentou abordar também problemas matematicamente. Ele pode não ter sido o primeiro a compreender que se um peso for colocado em cada extremidade de uma gangorra, o peso menor estará mais distante do ponto central (fulcro) da gangorra do que o maior, para que os dois pesos se equilibrem. Arquimedes, porém, foi mais longe e mostrou que a razão dos pesos entre si diminui em proporção matemática exata em relação à distância do fulcro – e o provou matematicamente. Do mesmo modo, ele teve o brilhante vislumbre de que todo objeto tem um centro de gravidade – um único ponto de equilíbrio no qual todo o seu peso parece se concentrar – e também o provou matematicamente.

Além de examinar problemas práticos de um modo matemático, ele abordou problemas matemáticos de um modo prático, o que era ainda mais revolucionário – embora transcorressem mais de 2 mil anos antes que as pessoas o compreendessem. Todavia, o que mais orgulhava Arquimedes eram suas soluções para problemas geométricos – ele mostrou, por exemplo, que a área da superfície de uma esfera tem quatro vezes a área de seu "maior círculo" – em outras palavras, quatro vezes a área de um círculo com o mesmo raio. Ele mostrou também que o volume de uma esfera é dois terços do volume do cilindro circunscrito a ela. Na verdade, ficou tão orgulhoso com a sua descoberta que pediu que um diagrama de uma esfera dentro de um cilindro fosse inscrito em seu túmulo, o que foi feito.

Foi porém quando introduziu meios práticos para trabalhar que ele alcançou seus maiores vislumbres. Seguindo Platão, os gregos acreditavam que a matemática pura era a chave para a verdade perfeita que jaz por trás do mundo real imperfeito, de modo que qualquer coisa que não pudesse ser completamente resolvida com uma régua e compasso e cálculos elegantes não era verdadeira. A genialidade de Arquimedes consistiu em perceber as limitações disso e compreender o quanto podia ser realizado por meio de aproximações práticas, ou, como os gregos as chamavam, por meio da mecânica. Ele sem dúvida sabia o quanto estava trabalhando contra a tradição grega quando escreveu a um colega em Alexandria: "Isso diz respeito a um teorema geométrico que não foi investigado antes, mas agora está sendo investigado por mim. Eu descobri esse teorema por meio da mecânica e em seguida o demonstrei por meio da geometria".

ACERCA DA FLUTUABILIDADE

Uma das maiores descobertas de Arquimedes foi a explicação da flutuabilidade – por que as coisas flutuam. Ele compreendeu que um objeto pesa menos na água do que ao ar livre. Uma pessoa muito pesada pode boiar numa piscina por causa da sua flutuabilidade – o impulso natural para cima, ou o empuxo, da água exercido sobre ela. No entanto, quando um objeto está imerso na água, seu peso o puxa para baixo, mas a água, como compreendeu Arquimedes, o empurra de volta com uma força que é igual ao peso da água que o objeto desloca para fora de seu caminho. Assim, o objeto afunda até que seu peso seja exatamente igual ao empuxo da água, quando passa a flutuar. Objetos que pesam menos do que a água deslocada flutuam, enquanto aqueles que pesam mais afundam. Arquimedes mostrou que é uma relação matemática precisa e fácil de calcular.

Isso representou uma inovação de enorme importância, porque permitiu aos construtores de navios prever se suas embarcações flutuariam, em vez de apelar para as tentativas e erros – erros não raro catastróficos.

Nem diante da ordem de um soldado, Arquimedes largou seus cálculos, e acabou sendo morto

A morte de Arquimedes, mosaico romano, séc. XVIII

MORTE E LEGADO

Quando a frota romana sitiou Siracusa, em 212 a.C., Arquimedes era um homem idoso – talvez de quase 80 anos. Enquanto os navios romanos se aproximavam mais da cidade, o envelhecido Arquimedes estava no centro da luta, apresentando todo tipo de dispositivos engenhosos para conservar o inimigo à distância. Nem mesmo o gênio de Arquimedes, porém, podia afastar para sempre os romanos.

O comandante romano Marcelo ficara impressionado com as invenções de Arquimedes a ponto de ordenar que o cientista fosse bem tratado. Infelizmente, o oficial romano que se deparou com o cientista não havia recebido a mensagem. Segundo um relato, o soldado irrompeu pela porta do pesquisador e o encontrou no trabalho, desenhando círculos e fazendo cálculos em sua bandeja de areia. "Favor não perturbar meus cálculos", sussurrou o inventor. O veterano legionário não estava com disposição para discussões e ordenou que Arquimedes fosse com ele. Arquimedes insistiu em terminar primeiro os seus cálculos – e então o soldado sacou da espada e o matou.

Apesar de sua fama, boa parte do trabalho de Arquimedes foi perdida, sendo apenas gradualmente recuperada. É notável que algumas obras importantes fossem redescobertas apenas em 1906, quando o filólogo dinamarquês J. L. Heiberg verificou que um pergaminho medieval encontrado num mosteiro em Jerusalém era um palimpsesto – quer dizer, um rolo no qual a escrita original havia sido parcialmente apagada para que ele pudesse ser usado para um novo texto. Nele, por baixo de escrituras ortodoxas, estavam escondidas cópias de vários trabalhos fundamentais de Arquimedes.

Um volume suficiente da produção de Arquimedes foi conservado vivo por matemáticos árabes ao longo da Idade Média para afinal ser plenamente aproveitado quando a revolução científica começou na Europa do século XVII. Galileu reconheceu seu débito para com o cientista grego: "Sem Arquimedes, eu não teria realizado coisa alguma", enquanto Newton declarou: "Se eu vi mais longe, foi somente por me erguer sobre os ombros de gigantes" – e, para ele, o maior de todos os gigantes foi Arquimedes.

Ptolomeu: graças a ele, as ideias de Hiparco são hoje conhecidas

Ptolomeu, *gravura, anônimo*, livro Claudio Tolomeo Principe de gli Astrologi et de' Geografi, publicado por Giordano Ziletti, 1564

Hiparco e Cláudio Ptolomeu

c. 200–126 a.C.   c. 90–168 d.C.

ELES OUVIRAM AS ESTRELAS

ESSES SÁBIOS FORAM OS MAIORES ASTRÔNOMOS DO MUNDO ANTIGO. EM CONJUNTO, SEUS TRABALHOS FORMARAM A BASE DA ASTRONOMIA PELOS 1.500 ANOS SEGUINTES

A astronomia data dos primeiros dias da humanidade, quando os caçadores pré-históricos olhavam para o céu para decidir qual noite poderia lhes dar a melhor lua para a caça. Quando as pessoas começaram a praticar a agricultura, há cerca de 10 mil anos, a astronomia ajudou a assinalar a melhor época para o plantio. Ela tornou-se tão importante que os astrônomos com frequência gozaram do status de altos sacerdotes, e muitos importantes monumentos antigos, entre eles as pirâmides e Stonehenge, tiveram fortes laços com a astronomia. Hiparco e Ptolomeu compilaram os primeiros grandes catálogos das estrelas no céu, construíram sistemas para calcular os movimentos do Sol e da Lua e muito mais.

Na época em que Hiparco nasceu, em cerca de 200 a.C., a astronomia era uma antiga arte. Muito pouco se conhece sobre ele, ainda que fosse suficientemente famoso para ser representado em moedas romanas após sua morte. Ele provavelmente nasceu em Niceia, na Bitínia, na parte noroeste da atual Turquia, junto ao lago Iznik. É provável que quando jovem ele compilasse registros meteorológicos locais, na tentativa de ligar padrões sazonais com o nascimento e o desaparecimento de determinadas estrelas. Provavelmente, porém, a maior parte de sua vida foi despendida estudando astronomia na ilha de Rodes, depois de uma curta temporada em Alexandria, no Egito.

Ptolomeu afirmou que Hiparco fez muitas observações das estrelas em Rodes e morreu nessa ilha, talvez por volta de 126 a.C. Nosso conhecimento de seu trabalho baseia-se em conjectura, e não em certeza. Os escritos astronômicos de Hiparco eram tão abrangentes que ele publicou uma lista anotada destes, e, no entanto, apenas um de seus trabalhos sobreviveu, um pequeno comentário sobre um poema popular chamado *Phenomena*, de Aratos e Eudoxo, que descreve as constelações. Embora não nos diga nada sobre a astronomia de Hiparco, ele nos mostra um pouco de sua atitude rigorosa e crítica, pois ele aponta implacavelmente os erros na descrição das estrelas feita no poema.

Ptolomeu o descreveu como um "amante da verdade", sempre pronto a revisar suas ideias caso surgissem novas evidências.

HIPARCO NO TRABALHO

Hiparco era um observador habilidoso, mas também se apoiou na longa história da astronomia do Oriente Médio, em particular em antigos registros babilônicos recuperados em meio às ruínas do Império Persa após a conquista por Alexandre, o Grande.

Hiparco catalogou cerca de 850 estrelas cujas posições eram conhecidas na época

Hiparco mapeando as estrelas em Alexandria, xilogravura, anônimo, sec. XIX

Em 134 a.C., ele observou um raro fenômeno, uma nova estrela, ou uma supernova, no céu noturno – não haveria outro avistamento desse gênero até Tycho Brahe testemunhar o surgimento de outra supernova em 1572. Foi esse extraordinário evento que inspirou Hiparco a compilar um catálogo das cerca de 850 estrelas cujas posições eram então conhecidas. Esse catálogo, adaptado por Ptolomeu, ainda estava em uso no século XVI. Com efeito, ele era tão preciso que, 1.800 anos depois de sua elaboração, Edmund Halley pôde comparar seu próprio mapa com o catálogo de Hiparco e verificar que as estrelas mudam ligeiramente suas posições.

Hiparco comparou também estrelas dando a cada uma um número de magnitude de um a seis. A mais brilhante é Sirius (a Estrela do Cão), que ele designou como de "primeira grandeza". As estrelas de brilho mais tênue foram classificadas como de "sexta grandeza". Embora a escala de magnitude tenha sido adaptada e estendida, os astrônomos ainda a utilizam atualmente.

O que tornou Hiparco um grande astrônomo foi a sua precisão. Considerando que ele dispunha apenas dos olhos e de vagos registros históricos para guiá-lo, ele fez cálculos espantosamente precisos dos movimentos dos céus. Pensamos erroneamente que os antigos não tinham um conhecimento real de onde a Terra se situa no sistema solar – ou mesmo que ela é redonda e não plana –, mas Hiparco (e outros astrônomos gregos) faziam alguma ideia. O único erro de vulto de Hiparco foi imaginar, como todos em sua época – com exceção de Aristarco de Samos –, que a Terra está imóvel e que o Sol, a Lua, os planetas e as estrelas orbitam em torno dela. O fato, porém, de as estrelas serem fixas e de a Terra estar em movimento faz uma diferença tão pequena no modo como o Sol, a Lua e as estrelas parecem se mover que Hiparco foi capaz de fazer cálculos altamente precisos de seus movimentos.

OS CÁLCULOS DE HIPARCO

No cerne da precisão astronômica de Hiparco estava seu rigor e sua habilidade matemática. Conta-se que ele inventou o ramo da matemática chamado de trigonometria – a matemática dos triângulos – e desenvolveu a tabela de cordas, a primeira tabela trigonométrica, que o ajudou a calcular a posição exata de uma estrela no céu em relação à Terra e a outras estrelas.

Alguns dos cálculos astronômicos mais importantes de Hiparco vieram de seu mapeamento da eclíptica, que é a projeção, sobre a esfera celeste, da trajetória aparente do Sol observada da Terra. A eclíptica forma um ângulo com o equador da Terra e o cruza em dois pontos, os equinócios, enquanto leva o Sol o mais longe possível do equador nos solstícios. O que intrigou Hiparco foi que, embora o Sol aparentemente se deslocasse numa trajetória circular, as estações – o tempo entre os solstícios e os equinócios – não tinham igual duração. Para definir claramente esse fato, ele elaborou um método de cálculo da trajetória do Sol que mostrava sua localização exata em qualquer data.

Ele prosseguiu em busca de medir o mais precisamente possível a extensão do ano. Existem vários modos de medir um ano astronomicamente. Hiparco mediu o "ano tropical", o tempo entre equinócios. Os resultados foram inconclusivos, mas ele podia corrigir seus erros comparando-os com antigos registros, e desse modo chegou a um número para a duração do ano que era apenas seis minutos superior à extensão correta.

Foi com base nessa observação espantosamente precisa que veio o que talvez seja a descoberta mais famosa de Hiparco – a "precessão dos equinócios". Quando ele calculou os tempos e a posição exatos das estrelas no equinócio e os comparou com observações realizadas 150 anos antes, descobriu que estrelas perto da eclíptica haviam alterado ligeiramente suas posições. Ele concluiu que todo o sistema estelar estava se movendo lentamente para o leste – e que ele completava o giro e retornava à mesma posição a cada 26 mil anos. Sabemos hoje que esse movimento é causado por uma lenta mudança na direção do eixo da Terra, chamada de precessão, mais do que por uma deslocação das estrelas, mas Hiparco estava basicamente certo, e isso foi notável.

A evidência de que Hiparco havia realmente compilado um catálogo estelar preciso permaneceu vaga, até que o historiador astronômico norte-americano Bradley Schaefer começou, em 2005, a examinar uma estátua romana de mármore de 2,13 metros de altura representando o mítico titã Atlas, pertencente à Coleção Farnese, de Nápoles, na Itália.

A estátua carrega um globo que mostra todas as constelações exatamente nas localizações corretas, como se fosse baseada num catálogo estelar. Analisando as posições das estrelas no globo, Schaefer calculou que as observações que determinaram onde as estrelas apareceriam nele deviam ter sido feitas por volta de 125 a.C., com uma margem de 55 anos. Ora, esse foi exatamente o tempo em que Hiparco estava trabalhando, e desse modo fornece uma forte evidência de que ele efetivamente produziu um catálogo estelar. Os especialistas hoje buscam comparar as estrelas na estátua com as do *Almagesto* de Ptolomeu e verificar as diferenças entre elas.

PTOLOMEU

Conhecemos o trabalho de Hiparco em parte porque foi desenvolvido pelo astrônomo Cláudio Ptolomeu (90-168 d.C.), que escreveu quatro livros sumarizando as ideias astronômicas gregas até o século II da era cristã, entre os quais o famoso *Almagesto* (da palavra árabe para "o maior"). Esses livros, e em particular o *Almagesto*, tornaram-se a base da astronomia árabe e ocidental até o século XVI.

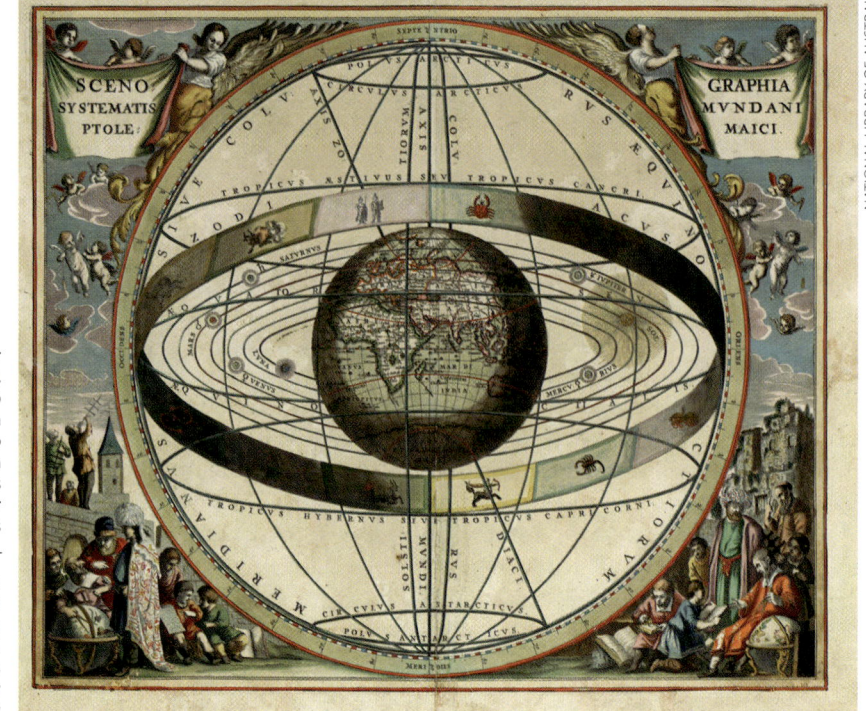

O sistema solar de Ptolomeu, com a Terra ao centro, ainda que não de todo correto, respondia a muitas questões e prevaleceu por muitos séculos

Scenographia systematis mvndani Ptolemaici, *mapa*, Loon, J. van (Johannes) séc. XVII, Atlas Harmonia Macrocosmica

A pessoa de Ptolomeu é ainda mais obscura que a de Hiparco. Sabemos que era grego e viveu em Alexandria, e isso é praticamente tudo, mas seus trabalhos mais importantes sobreviveram e exerceram enorme influência.

O *Almagesto* forneceu um sistema completo para os movimentos dos céus que veio a ser chamado de sistema ptolomaico. Ele proporcionou a base para toda a astronomia até ser finalmente ultrapassado pela construção copernicana no século XVI. No centro do sistema está a Terra fixa. Em torno dela roda uma vasta esfera levando consigo, numa série de camadas, as estrelas, os planetas, o Sol e a Lua – o que explica seu movimento pelo céu, bem como seu aparecimento e desaparecimento.

Sabemos atualmente que os planetas não parecem seguir uma rota perfeitamente circular pelo céu por causa do movimento da Terra. Em vez disso, de tempos em tempos eles mudam de direção (de oeste para leste, e vice-versa) enquanto avançam girando sobre si mesmos, o que lhes valeu sua designação, que é o termo grego para "errantes".

O sistema de Ptolomeu explicava engenhosamente esse fenômeno por meio de um sistema de círculos dentro de círculos chamados de epiciclos, algo como o vasto mecanismo de um relógio celestial que gira continuamente. Funcionava com tamanha precisão que, mesmo quando Copérnico apontou a falha fatal do sistema – a Terra se move –, os astrônomos permaneceram relutantes em abandoná-lo.

O livro *Geographia* de Ptolomeu foi, se possível, ainda mais influente que o *Almagesto*. Era uma reunião de mapas do mundo inteiro tal como seus contemporâneos o conheciam. Sua grande inovação foi registrar as longitudes e as latitudes em graus para 8 mil locais. Ele concebeu dois modos de desenhar linhas em grade sobre mapas planos para representar as linhas de longitude e latitude sobre a superfície curva do globo.

Geographia tornou-se o atlas-padrão por 1.300 anos. Com efeito, conta-se que Colombo acreditou que poderia alcançar facilmente a Ásia navegando para oeste através do Atlântico simplesmente porque Ptolomeu subestimou enormemente o tamanho do mundo – e assim Colombo descobriu acidentalmente a América enquanto buscava a Ásia.

Cientistas árabes medievais
PILARES DA SABEDORIA

O ORIENTE MÉDIO TORNARA-SE O POLO INTELECTUAL DO MUNDO, E UMA SÉRIE DE BRILHANTES CIENTISTAS ÁRABES LANÇOU AS SEMENTES QUE MAIS TARDE GERMINARIAM NA REVOLUÇÃO CIENTÍFICA DO SÉCULO XVII

AL-KHWARIZMI nos deu nosso sistema numérico e ainda a álgebra; Ibn Sina (Avicena) escreveu o maior livro sobre medicina dos 600 anos seguintes, e o trabalho pioneiro de al-Biruni incluiu comparações entre as velocidades da luz e do som. Esse grande florescer da ciência árabe começou no que por vezes é chamado de Idade de Ouro do Islã, o período em que a influência consolidadora da religião islâmica viu os muçulmanos árabes começarem a construir um império que se estenderia por todo o Oriente Médio e através da África do norte até a Espanha. No coração desse mundo islâmico estava a cidade de Bagdá, onde os califas reinavam.

O governo dos califas alcançou o seu zênite sob a dinastia abássida e em particular no reinado de Harun al-Rashid, que se tornou califa no ano 786 e ficou famoso pelo papel ficcional atribuído a ele no *Livro das mil e uma noites*, que pode ter sido escrito, em parte, durante seu governo. Seu reinado marcou o início de um extraordinário florescimento da ciência, tecnologia, poesia e filosofia. Os pensadores árabes não faziam distinção entre esses ramos do pensamento, e muitos estudavam matemática ou escreviam poesia com o mesmo zelo.

Durante o califado de al-Mamun, filho de Harun al-Rashid, que se iniciou em 813, Bagdá atraiu acadêmicos de todas as partes para trabalhar na Casa da Sabedoria, criada pelo califa por volta de 820, uma mescla de biblioteca, instituto de pesquisa e universidade.

A Casa foi a primeira grande biblioteca desde a destruição da congênere de Alexandria. Uma das tarefas dos membros do centro de estudos era traduzir os grandes trabalhos dos pensadores gregos, e, graças a seus esforços, as ideias helênicas foram preservadas ao longo da Idade Média, mas os acadêmicos também faziam pesquisa prática, tendo estabelecido, por exemplo, o primeiro observatório astronômico corretamente construído do mundo. Eles desenvolveram também o astrolábio, um dos instrumentos científicos

Al-Biruni comparou as velocidades da luz e do som

de mais impacto de todos os tempos, que permitiu aos astrônomos medir a posição das estrelas com uma precisão sem paralelo. Na medicina, eles aperfeiçoaram as dietas, realizaram os primeiros estudos sérios sobre drogas e fizeram avançar enormemente a cirurgia.

Quando al-Mamun morreu, em 833, o papel central e a influência de Bagdá começaram a se desvanecer. Contudo, em seu lugar, dinâmicos bolsões de conhecimento despontavam por todo o mundo islâmico. O grande al-Biruni teve como patronos os califas ghaznávidas, no leste, enquanto Avicena viveu sob os califas samânidas, em Bucara.

AL-KHWARIZMI

Boa parte da história de vida de al-Khwarizmi parece ser pura conjectura. Ele provavelmente nasceu no que é hoje o Usbequistão, ao sul do mar de Aral, na Ásia central. Alguns pesquisadores afirmam que seu pai era um adepto do zoroastrismo e que ele foi educado na antiga fé. Entretanto, tudo o que de fato sabemos é que al-Khwarizmi nasceu em 786, ano em que Harun al-Rashid chegou ao poder, e que quando o filho de Harun, o califa al-Mamun, organizou a Casa da Sabedoria, al-Khwarizmi estudava ali.

Uma de suas maiores contribuições foi proporcionar um guia abrangente para o sistema numérico hindu, que se originou na Índia por volta de 500 da era cristã. Foi esse sistema, mais tarde chamado de sistema arábico porque chegou à Europa a partir de al-Khwarizmi, que se tornou a base de nossos números modernos. O sistema arábico, claramente explicado por al-Khwarizmi em seu livro *Sobre os numerais hindus*, usa apenas dez dígitos, de 0 a 9, para representar todos os números, do zero até o maior número imaginável. O valor dado a cada dígito varia simplesmente de acordo com sua posição. Assim, o valor de 1 em 100 é 10 vezes o de 1 em 10 e 100 vezes o de 1 em 1.

Isso significou um enorme avanço em relação a qualquer sistema anterior de numeração. O sistema de numeração romano, por exemplo, necessita de sete dígitos para representar um número tão pequeno quanto 38 – XXXVIII. Sete dígitos em numerais arábicos podem, é claro, representar qualquer número entre 1.000.000 e 9.999.999. Mais ainda, ao padronizarem as unidades, os números arábicos tornaram a multiplicação, a divisão e todas as outras formas de cálculo matemático muito mais simples. Não é surpreendente que, quando chegaram à Europa, eles se espalharam rapidamente e, desde essa época, foram difundidos por todo o mundo para se tornar a única "linguagem global" verdadeira. Juntamente com os números, a Europa ganhou novas palavras – "algarismo" e "algoritmo", esta última a designação de um processo matemático lógico passo a passo, que vem do nome de al-Kharizmi no título em latim de seu livro, *Algoritmi de numero Indorum*.

INVENTANDO A ÁLGEBRA

A outra contribuição fundamental de al-Khwarizmi foi, em maior grau, fruto de seu próprio trabalho. Ela introduziu também outra palavra em nossa língua, "álgebra", e um ramo totalmente novo da matemática. O interessante é que, ao desenvolver a álgebra, al-Khwarizmi tinha em mente algo eminentemente prático. Em sua introdução ao livro em que descreve a álgebra, ele diz que a meta é trabalhar com "o que é mais fácil e mais útil na matemática, como o que os homens constantemente requerem em casos de herança, legados, partilhas, processos judiciais e comércio, e em tudo em que lidam uns com os outros, ou quando mensuram terras, cavam canais e fazem cálculos geométricos".

Embora hoje em dia associemos a álgebra totalmente com a ideia de símbolos substituindo números desconhecidos em cálculos, na verdade al-Khwarizmi não usou símbolos, pois escreveu tudo por extenso com palavras. Foi em sua maneira de lidar com equações que ele criou a álgebra. Sua grande inovação foi reduzir toda equação à sua forma mais simples possível por uma combinação de dois processos: *al-jabr* e *al-muqabala*.

Al-jabr significa "restauração" e envolve simplesmente eliminar todos os termos negativos. Usando símbolos modernos, *al-jabr* significa simplificar, por exemplo, $x2 = 40x - 4x2$ para apenas $5x2 = 40x$. Por sua vez, *al-muqabala* significa "balanceamento" e implica reduzir todos os termos positivos a sua forma mais simples. *Al-muqabala* reduz, por exemplo, $50 + 3x + x2 = 29 + 10x$ a apenas $21 + x2 = 7x$.

Desse modo, ele podia reduzir qualquer equação a seis formas simples, padronizadas, e em seguida mostrou um método para resolver cada uma. Seguindo em frente, forneceu amostras geométricas para cada um de seus métodos. Alguns pesquisadores sustentam que isso é a prova de que ele deve ter lido a geometria de Euclides. Outros dizem que sua geometria é tão marcadamente diferente da de Euclides que deve ter outra origem.

Ao desenvolver a álgebra, al-Khwarizmi baseou-se no trabalho de matemáticos hindus, como Brahmagupta, mas foi o próprio al-Khwarizmi quem a transformou num sistema simples e abrangente. A própria palavra "algebra" vem do título de seu livro *al-Kitab al-mukhtasar fi hisab al-jabr-wa'l muqabala* (*Livro compêndio sobre cálculo por restauração e balanceamento*).

IBN SINA (AVICENA): O MAIOR DOS MÉDICOS

Nascido em Bucara por volta de 980, Ibn Sina – Avicena segundo a versão latina de seu nome – era considerado um prodígio. Conta-se que aos 10 anos ele conhecia de cor não apenas o Corão, mas também boa parte da poesia árabe, e aos 16 anos havia se tornado um médico qualificado. Sua habilidade médica tornou-se quase lendária e, embora a turbulenta política de seu tempo o mantivesse numa posição instável, ele foi médico de uma sucessão de príncipes e califas. Mas também se tornou o mais famoso filósofo, pesquisador, matemático e astrônomo de seu tempo, além de escrever livros sobre uma ampla variedade de tópicos científicos, uma vasta enciclopédia – a primeira a ser elaborada – e até mesmo poemas curtos como este: "*Do centro da Terra pelo Sétimo portão eu me elevei,/ E no Trono de Saturno eu me sentei./ E desatei muitos nós pelo caminho trilhado,/ Mas não o nó mestre do humano Fado*".

O cânone da medicina, de Ibn Sina, foi considerado o livro didático padrão por 600 anos

Ibn Sina em roupas do século XVI, *gravura*, G. P. Busch

Ibn Sina fez algumas observações astronômicas importantes e contribuições fundamentais para a física, entre elas a identificação de diferentes formas de energia – térmica, luminosa e mecânica – e a ideia de força. Ele observou que se a luz consiste numa corrente de partículas, sua velocidade deve ser finita. A técnica matemática da "prova dos noves", usada para verificar quadrados e cubos, também é atribuída a Ibn Sina.

No entanto, sua fama baseia-se acima de tudo em seu *al-Qann fi al-Tibb* (*O cânone da medicina*). Essa vasta obra, de mais de 1 milhão de palavras, cobriu todo o campo do conhecimento médico, desde os tempos antigos até as mais atualizadas técnicas muçulmanas de sua época. Foi traduzido para o latim no século XII e se tornou o livro didático padrão pelos 600 anos seguintes. *O cânone* continha alguns dos vislumbres de Ibn Sina. Ele foi o primeiro a reconhecer, por exemplo, que a tuberculose e a tísica são contagiosas; que as doenças podem se difundir pelo solo e pela água e que as emoções de uma pessoa podem afetar seu estado de saúde física. Foi o primeiro a descrever a meningite e a perceber que os nervos transmitem dor. O livro continha também a descrição de 760 drogas.

Álgebra: o livro de Khwarizmi que criou uma nova área da matemática

Como todos os pensadores árabes, al-Khwarizmi tinha interesses fora da matemática. Além de seus livros sobre números e álgebra, ele escreveu um terceiro livro importante, sobre geografia. Intitulado *Kitab surat al-ard* (*A imagem da Terra*), a obra reintroduziu algumas das ideias de Ptolomeu sobre a descrição de posições por meio da longitude e da latitude, mas aumentou sua precisão – particularmente para a extensão do mar Mediterrâneo e a localização de cidades na Ásia e na África. Al-Khwarizmi ajudou a criar um mapa do mundo para o califa al-Mamun.

O trabalho de al-Khwarizmi talvez tenha levado três séculos para alcançar a Europa ocidental, e veio provavelmente pela Espanha moura. Porém, quando chegou, seu impacto foi duradouro. Na atualidade, os algarismos arábicos e a álgebra são centrais em nossas vidas.

AL-BIRUNI

O pensador persa al-Biruni viveu aproximadamente na mesma época que Ibn Sina. Ele possuía um dom especial para línguas; conta-se que falava turco, persa, sânscrito, hebraico e siríaco, além de seu árabe nativo. Teve o patrocínio do califa ghaznávida Mahmud, que o levou consigo em suas campanhas na Índia. O mais famoso livro de al-Biruni, *Kitab al-Hind* (*Livro da Índia*), resultou dessas viagens.

Al-Biruni foi o primeiro a estabelecer firmemente a trigonometria como um ramo da matemática. Ele escreveu tratados sobre o efeito das drogas na medicina. Foi o primeiro a lançar a ideia de que a luz se move mais rápido do que o som. Difundiu a noção de que a Terra gira sobre seu eixo, fez muitos cálculos precisos de latitude e longitude, e sugeriu, contrariando a opinião generalizada na época, que a África poderia não se estender indefinidamente para o sul. Observou também que as flores têm três, quatro, cinco, seis ou oito pétalas, mas jamais sete ou nove.

Leonardo da Vinci pintando a Mona Lisa, *óleo sobre painel*, Cesare Maccari, 1863

Leonardo da Vinci

1452–1519

CIÊNCIA E ARTE

MAIS CONHECIDO POR SUAS OBRAS-PRIMAS NA PINTURA, O GÊNIO DA RENASCENÇA DEIXOU CADERNOS DE NOTAS QUE REVELAM O PRIMEIRO GIGANTE DA CIÊNCIA DA ERA MODERNA

Sabemos que Leonardo foi um notável cientista unicamente pelos seus cadernos de notas que sobreviveram. Existem milhares dessas páginas, com extraordinários desenhos e escritos sobre uma vasta gama de assuntos – geologia, anatomia, astronomia, gravidade, voo, óptica e muito, muito mais. Com frequência, ele move-se de um assunto a outro numa única página.

As páginas mais conhecidas contêm os inventos de Leonardo. Nessas páginas encontram-se esboços e notas para dezenas de máquinas e dispositivos, alguns apenas ensaios de ideias, outros plenamente elaborados, com desenhos detalhados. O espantoso não é apenas a enorme diversidade de problemas para os quais Leonardo voltou sua mente, de máquinas de guerra a suprimento de água, mas também quantas dessas ideias estão audaciosamente à frente de sua época. Helicópteros, carros de combate, aviões, paraquedas – todos eles aparecem nas páginas de Leonardo, 500 anos antes de se tornarem realidade. Contudo, parece pouco provável que ele tenha concretizado muitas dessas espantosas ideias. Tampouco parece provável que mais alguém tenha chegado a saber delas, à exceção dos poucos que adquiriram páginas dos cadernos ao longo dos séculos.

O mesmo vale para seus escritos científicos. A minúscula escrita de Leonardo – com frequência traçada de trás para diante, em forma especular, provavelmente para tornar mais fácil escrever com a mão esquerda – é difícil de decifrar. Entretanto, como resultado dos estudos dos pesquisadores, ele emergiu como uma das mais aguçadas mentes científicas na história.

Suas notas sobre assuntos que vão da anatomia à astronomia revelam que ele estava quase tão à frente de seu tempo em ciência quanto em suas invenções. Em sua geologia, Leonardo discutia sedimentos, estratos, fósseis e a idade da Terra de um modo que antecipou os grandes debates do começo do século XIX, mais de 300 anos depois. A ênfase em observações de primeira mão antecipa a abordagem científica

Máquinas militares que prefiguravam tanques faziam parte dos projetos de da Vinci, sempre à frente de seu tempo

que teria tanto impacto séculos mais tarde. Ele escreveu: "As coisas da mente que não são testadas pelos sentidos são inúteis".

No entanto, qualquer que fosse a razão, Leonardo guardou seus pensamentos para si mesmo. Ninguém sabe exatamente por que escreveu seus cadernos de notas. A maioria acredita que seu plano era publicá-los algum dia como um livro. Ele, porém, silenciou sobre suas ideias; o resultado foi que, em que pesem suas extraordinárias antecipações, ele efetivamente teve pouco impacto sobre o progresso da ciência, sendo mais conhecido atualmente como artista. Pode-se apenas especular como as coisas poderiam ter sido diferentes se essas ideias tivessem se tornado conhecidas.

INFÂNCIA EM VINCI

Leonardo nasceu em 15 de abril de 1452 na cidadezinha toscana de Vinci. A mãe era uma serviçal de 16 anos chamada Caterina, enquanto o pai era um notário (solicitador) local chamado Ser Piero. Após o nascimento de Leonardo, Ser Piero desposou Albiera, uma herdeira local, enquanto Caterina era rapidamente afastada, sendo casada com um pastor de gado e deixando o bebê aos cuidados de Ser Piero. Ele e sua nova mulher tinham pouco tempo para o menino, que foi criado basicamente pelos avós e pelo tio Francesco. Mesmo na infância, Leonardo mostrou ser extraordinariamente talentoso. Com frequência, ele caminhava sozinho pelos arredores de Vinci, levando um caderno de notas para fazer seus já notáveis esboços de plantas e animais.

Quando o avô morreu, em 1468, a família mudou-se para Florença, a mais excitante e criativa cidade da Europa. Nas ruas movimentadas, havia dezenas de oficinas e estúdios produzindo uma torrente de arte brilhante, como a estátua de Davi feita por Donatello. O pai de Leonardo colocou-o para estudar no estúdio de Andrea Verrochio, na época o mais famoso escultor, pintor e ourives de Florença.

Leonardo logo ultrapassou seu mestre em habilidade, o que levou Verrochio, segundo relatos, a desistir da pintura, em desespero. Na ocasião, Leonardo atraía olhares por toda a cidade por sua aparência, usando calções muito curtos de um rosa chocante. As pessoas especulavam sobre sua sexualidade; aparentemente ele jamais teve interesse em mulheres, chegando a escrever em seu caderno de notas: "O ato da procriação e tudo relacionado a ele são tão repugnantes que os seres humanos logo se extinguiriam se não existissem rostos bonitos e temperamentos sensuais".

LEONARDO EM MILÃO

Em 1480, Leonardo recebeu sua primeira grande encomenda artística de Lourenço, o Magnífico, chefe da família governante de Florença, os Médici. Ele começou a trabalhar no quadro *A adoração dos magos*, mas em pouco tempo a abandonou e escreveu a Ludovico Sforza, duque de Milão, oferecendo seus serviços, não tanto como artista, mas sobretudo como engenheiro militar. Em sua carta de apresentação, ele falou de sua capacidade de construir carros blindados e engenhos para sítio, pontes portáteis de assalto e catapultas. Ludovico ignorou a carta, porém mais tarde convidou Leonardo para trabalhar em Milão. Ele permaneceria na cidade durante 17 anos, até que os franceses a capturassem em 1499, após o que Ludovico fugiu.

Em Milão, Leonardo conservou-se ocupado pintando, encenando festivais na corte e fornecendo orientações sobre arquitetura, fortificações, fossos de drenagem, abastecimento de água e qualquer outra coisa de natureza técnica. Sua maior realização em Milão foi a pintura intitulada *A última ceia* (1495-98), mas o projeto que mais consumiu seu tempo foi uma gigantesca estátua de bronze de Ludovico a cavalo. A estátua tornou-se o mais celebrado dos muitos fracassos ultra-ambiciosos de Leonardo, e quando ele conheceu Michelangelo, o grande escultor zombou dele por causa disso. Em franco antagonismo, os dois enfrentaram-se num duelo artístico: ambos deveriam pintar um mural gigantesco de uma cena de batalha. Leonardo começou a pintar *A Batalha de Anghiari*, e Michelangelo, *A Batalha de Cascina*. Nenhum dos dois terminou o seu trabalho, mas foi na preparação para essa pintura que Leonardo realizou boa parte de sua pesquisa anatômica, passando horas no hospital Santa Maria Nuova, em Florença, estudando ferimentos e dissecando cadáveres. Ele planejou publicar seu manuscrito anatômico em 1510, mas o plano deu em nada.

EM MOVIMENTO

A partir de 1500, a instabilidade política colocou Leonardo em constante movimento entre Florença, Veneza, Roma e várias outras cidades italianas, jamais permanecendo mais de um ano ou algo assim em cada uma delas. Por alguns anos, ele esteve a serviço do implacável César Bórgia e viajou pelas terras dele, mapeando-as e medindo-as com técnicas que antecipavam a moderna cartografia. Em 1503, Leonardo traçou a rota de um canal que ligaria Florença ao mar. Em 1505, estava pintando a famosa *Mona Lisa* e escreveu um livro sobre o voo dos pássaros; nos dois anos seguintes, encheu seus cadernos de notas com ideias para

Dois séculos antes da invenção do automóvel, ele já aparecia nos cadernos de da Vinci

máquinas voadoras, entre as quais um helicóptero e um paraquedas.

Em 1512, aos 60 anos, Leonardo estava começando a se cansar de se mudar o tempo todo. Em 1513 ele aceitou uma oferta de aposentos no Vaticano, em Roma. Permaneceu ali durante três anos, sempre à espera de alguma encomenda, mas todos os projetos estavam indo para outros artistas, entre os quais Michelangelo e Bramante. Assim, em 1516 o artista, já idoso, aceitou um convite do rei Francisco I da França e deixou definitivamente a Itália.

LEONARDO NA FRANÇA

Na França, Leonardo passou a residir numa casa em Cloux, fornecida por Francisco I, e se dedicou ao trabalho em seus cadernos de notas.

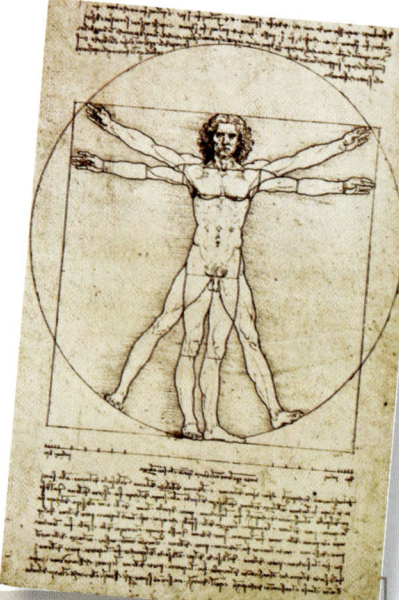

O "homem vitruviano" demonstra a precisão de Leonardo ao estudar o corpo humano

Homem vitruviano, desenho, Leonardo da Vinci, 1492

A ANATOMIA NO TRAÇO DE DA VINCI

Foi talvez em seus trabalhos sobre anatomia que Leonardo teve o mais duradouro impacto sobre o progresso da ciência. Numa época em que a maioria dos médicos estava aprendendo sobre o corpo humano com base em Galeno, médico do século II, Leonardo dissecava cadáveres para descobrir as coisas por si mesmo. Ele não foi o único a fazê-lo. Por exemplo, aproximadamente na época em que Leonardo esteve em Florença, o pintor florentino Antonio Benivieni escreveu um tratado baseado em suas próprias dissecações.

No entanto, Leonardo foi muito mais longe, dissecando pessoalmente mais de 30 cadáveres humanos e realizando muitos experimentos para verificar como as partes do corpo funcionavam. Dissecou também ursos, vacas, sapos, macacos e aves para comparar sua anatomia com a humana.

A habilidade superior de Leonardo na ilustração e sua obsessão com a precisão fizeram de seus desenhos anatômicos os melhores que o mundo havia visto até então. Ele desenvolveu a técnica de desenho das seções transversais, ainda usada atualmente. Um dos interesses especiais de Leonardo era o olho. Ele foi provavelmente o primeiro a investigar como o nervo óptico sai da parte de trás do olho e se conecta ao cérebro. Provavelmente, também foi o primeiro a compreender como os nervos ligam o cérebro aos músculos.

Em seu estudo dos músculos, a mescla de talento artístico e análise científica de Leonardo é vista mais claramente. Ele observou com exatidão como eles movimentavam o corpo de maneiras diferentes, como os músculos da face faziam as pessoas sorrir ou franzir a testa, e muito mais.

Por essa época, ele já havia tido um derrame e sua mão direita estava parcialmente paralisada, de modo que o trabalho era vagaroso. Por sorte, tudo o que Leonardo tinha de fazer era produzir planos para festivais e peças teatrais e fornecer projetos para brinquedos, como um leão mecânico que abria o peito para revelar flores-de-lis. O rei era um grande admirador de sua obra e estava genuinamente satisfeito só em tê-lo por perto. Leonardo morreu tranquilamente em Cloux em 23 de abril de 1519, sendo enterrado na igreja de Saint-Florentin, nas proximidades.

Abatido pela dor, seu jovem companheiro, Francesco Melzi, permaneceu na casa durante meses antes de finalmente empacotar todos os pertences de Leonardo, entre os quais 13 mil inestimáveis páginas de suas notas, e seguir numa carroça para Vaprio, na Itália. Ali as notas permaneceram sob seus cuidados até que ele morreu, deixando-as sob a guarda de seu filho Orazio.

Orazio não se interessou pelas notas, amontoando algumas num armário no sótão e desfazendo-se de outras. Os colecionadores começaram a aparecer em Vaprio, ficando com algumas delas e com frequência arrancando páginas, fragmentando desse modo o trabalho de Leonardo. Atualmente as páginas estão distribuídas entre museus e coleções particulares, incluindo o famoso *Codex Leicester*, comprado em 1994 pelo fundador da Microsoft, Bill Gates, por US$ 30 milhões de dólares. Das páginas originais, quase metade se perdeu.

A MÁQUINA VOADORA

Os cadernos de Leonardo revelam um espantoso leque de invenções – relógios, prensas de impressão, brocas, barcos, trajes de mergulho, carros e blindados. No entanto, o mais extraordinário são suas máquinas voadoras.

No cerne do pensamento de Leonardo, estava a crença de que os corpos de humanos e animais são simplesmente máquinas orgânicas. Essa crença inspirou muitas de suas invenções. Foi a observação de pássaros voando que o convenceu de que uma máquina voadora era realizável. "Um pássaro é simplesmente um instrumento funcionando de acordo com as leis da natureza", escreveu ele. "Um homem pode recriar esse instrumento."

Seus primeiros projetos de máquinas voadoras dependiam do bater das asas e são conhecidos como ornitópteros. Em 1487, ele fez o desenho de um ornitóptero no qual o piloto deitava esticado numa estrutura com os pés dentro de estribos, pedalando para fazer as asas baterem. Poucos anos depois, projetou um ornitóptero com lemes e elevadores para assegurar controle no voo – uma ideia notavelmente avançada. Os ornitópteros jamais teriam funcionado porque a potência dos músculos humanos simplesmente não é grande o suficiente. O próprio Leonardo talvez tenha compreendido isso, porque logo abandonou a ideia de asas para trabalhar com planadores. Ao fazer isso, ele inventou o primeiro anemômetro do mundo para medir a velocidade do vento.

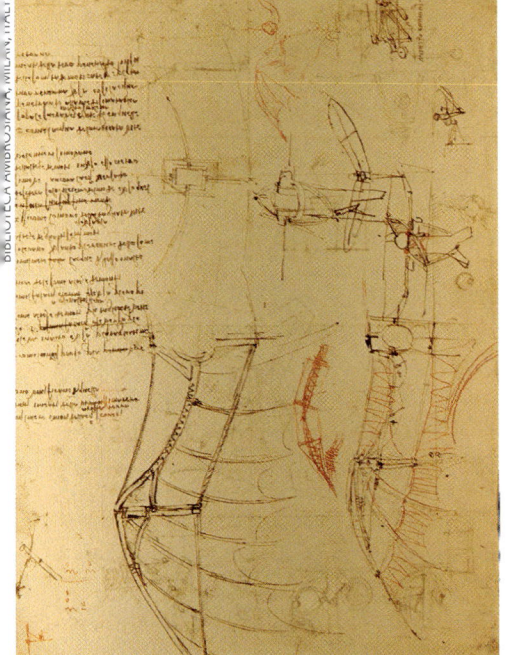

Da Vinci observou os pássaros e buscou recriar o mecanismo de seu voo em projetos de máquinas voadoras

Dez anos antes de sua morte, ele desenhou o projeto de um planador que tinha um genuíno sistema de controle, semelhante ao das modernas asas-deltas. Leonardo escreveu: "Esse (homem) se moverá para o lado direito se curvar o braço direito e estender o esquerdo; e em seguida se moverá da direita para a esquerda ao trocar a posição dos braços".

Recentemente, os especialistas construíram uma máquina baseada exatamente em seu projeto, usando apenas materiais que teriam estado disponíveis para Leonardo – e provaram não somente que ela seria capaz de voar, mas também que podia ser controlada no voo, algo que não foi alcançado até o famoso voo dos irmãos Wright, em 1903.

Leonardo projetou também um helicóptero para subir verticalmente no ar. À diferença dos modernos helicópteros, não tinha lâminas de rotor, mas um parafuso em espiral destinado a elevá-lo no ar.

PRIVATE COLLECTION

Retrato de Copérnico, *gravura, anônimo, c. 1850*

Nicolau Copérnico
1473-1543

O SOL NO CENTRO

AS IDEIAS DESSE SACERDOTE E ASTRÔNOMO DO SÉCULO XVI LEVARAM FINALMENTE À COMPREENSÃO DE QUE A TERRA NÃO ESTÁ FIXA NO CENTRO DO UNIVERSO, SENDO APENAS UM DOS PLANETAS QUE GIRAM EM TORNO DO SOL

Quando Copérnico nasceu, a Europa começava a sentir os efeitos do Renascimento. As ideias e os textos clássicos reapareciam, trazidos do mundo árabe. Por essa época, o modelo do funcionamento do universo feito por Ptolomeu, descrito no livro *Almagesto*, ainda era considerado correto. Nesse modelo, a Terra estava imóvel e fixa no centro do universo. Em torno dela havia uma série de esferas de cristal invisíveis e concêntricas, nas quais o Sol, a Lua, os planetas e as estrelas giravam em círculos perfeitos, um corpo celeste em cada esfera, à exceção das estrelas.

Infelizmente para esse modelo, a observação mostrou que apenas as estrelas pareciam se mover em círculos perfeitos. Ptolomeu sugeriu dois mecanismos principais – epiciclos e equantes – que explicavam os movimentos aparentes dos planetas enquanto conservavam a ideia de círculos perfeitos. Os epiciclos eram basicamente pequenos movimentos circulares dentro de cada esfera, ou rodas dentro de rodas. Os equantes permitiam que os círculos da Lua e dos planetas fossem ligeiramente excêntricos para girar em torno de diferentes pontos, chamados de pontos equantes, em vez de todos girarem em torno do centro exato da Terra.

Essa visão do universo como uma série de esferas de cristal girando ao redor da Terra funcionou bastante bem, pois permitiu aos astrônomos prever acuradamente os movimentos do Sol, da Lua e dos planetas então conhecidos – Mercúrio, Vênus, Marte, Júpiter e Saturno. Entretando, havia problemas. Na década de 1490, quando Copérnico estava na casa dos 20 anos, o astrônomo alemão Johannes Müller (Regiomontanus) publicou um resumo do *Almagesto* de Ptolomeu, juntamente com um comentário crítico intitulado *Epitome*. Regiomontanus assinalou que um dos problemas com o sistema ptolomaico era que, se o círculo da Lua fosse excêntrico como o sistema afirmava ser, ele deveria ficar maior e menor ao se mover para mais perto da Terra e se distanciar dela – e isso claramente não ocorria.

Outro problema com o sistema, no que dizia respeito ao jovem sacerdote Copérnico, era que ele parecia excessivamente intrincado e rebuscado. Sem dúvida, Deus teria criado algo mais simples e elegante.

Todas essas complicações desapareceriam, compreendeu Copérnico, se o Sol estivesse no centro e a Terra girasse em torno dele, juntamente com os outros planetas. A única dificuldade seria, então, como dar conta do fato de que a Lua gira em torno da Terra. Foi necessário mais de um século para que o sistema "heliocêntrico" (centrado no Sol) de Copérnico ficasse amplamente conhecido e ainda mais tempo para sua aceitação generalizada.

MIKOLAJ KOPERNIK

Copérnico nasceu em Torun, no norte da Polônia, em 19 de fevereiro de 1473. Seu nome real era Mikolaj Kopernik (mais tarde ele adotou a versão em latim *Nicolaus Copernicus*). Seu pai, um próspero comerciante, morreu quando ele tinha cerca de 10 anos e ele foi criado pelo tio Lucas Waczenrode, que pouco tempo depois se tornaria bispo de Varmia. O tio providenciou para que o menino recebesse a educação geral típica dos destinados a uma carreira na Igreja.

Aos 20 anos, Copérnico foi para a Universidade da Cracóvia estudar "artes liberais", que incluíam a astrologia e a astronomia. Cinco anos depois, foi estudar em Bolonha, na Itália, onde se alojou por algum tempo na casa do renomado astrônomo e astrólogo Ferrariensis. Foi ele quem inspirou o interesse de Copérnico pelas estrelas e lhe apresentou o *Epitome*, de Regiomontanus.

Em 1497, Copérnico observou um eclipse da Lua em Bolonha. Em 1503, quando terminou seu doutorado em direito canônico, já possuía sólidos fundamentos em astronomia e começava a desenvolver suas ideias acerca de um universo heliocêntrico. O tio conseguiu que ele se tornasse cônego na catedral de Frombork (Frauenberg), na Polônia, um cargo que lhe deu tempo livre tanto para estudar astronomia quanto para se dedicar a outras tarefas. Por exemplo, ele trabalhou para a comunidade como médico e desenvolveu um plano para a reforma da moeda.

Copérnico tirou partido de sua posição na catedral para consolidar suas ideias. A maior parte de sua astronomia estava no papel ou em sua cabeça, mas às vezes ele subia na torre da catedral em Frombork para perscrutar o céu noturno. À diferença de outros cientistas posteriores, ele não tinha interesse em verificar suas ideias por meio de observações ou de experimentos.

Em 1514, Copérnico publicou um livreto manuscrito para os amigos. Em *Commentariolus* (Pequeno comentário), ele incluiu não apenas a tese de que a Terra se movia ao redor do Sol e de que as estrelas estavam a enormes distâncias, mas também a sugestão de que esse arranjo explicava numerosos fenômenos, tais como o movimento retrógrado dos planetas.

Ptolomeu havia explicado o movimento retrógrado – o fato de que os planetas de tempos em tempos parecem mudar de direção (indo de oeste para leste e depois de leste para oeste) – por meio de complicados epiciclos. Ao se aceitar, porém, que a Terra está se movendo em torno do Sol com os demais planetas, o movimento retrógrado resulta simplesmente da mudança na visão dos planetas a partir da Terra.

Copérnico sugeriu também no *Commentariolus* que o tempo despendido por cada planeta para completar seu ciclo através do céu noturno seria tanto maior quanto mais distante ele estivesse do Sol. O ciclo de Mercúrio leva 88 dias, o que faz dele o planeta mais próximo ao Sol. Vênus leva 225 dias, a Terra, um ano, Marte, 1,9 ano, Júpiter, 12 anos e Saturno, 30 anos. Portanto, foi fácil para Copérnico estabelecer a ordem dos planetas.

Copérnico estava planejando um trabalho de mais fôlego para expor sua teoria: "Aqui, devido à brevidade, considerei desejável omitir as demonstrações matemáticas previstas para o meu trabalho maior". Esse trabalho maior, o famoso *De revolutionibus orbium coelestium* (Sobre as revoluções das esferas celestes), não foi publicado senão 26 anos depois, quando Copérnico se encontrava em seu leito de morte. Essa demora foi talvez decorrente da visão religiosa do universo naquela época: Copérnico pode simplesmente ter pensado que era demasiado perigoso tornar públicas suas ideias. Outros sugeriram que ele demorou porque não havia desenvolvido suficientemente suas teses e demonstrações.

Qualquer que seja a verdade, o estímulo final de que Copérnico precisava para terminar seu grande livro veio quando Georg von Lauchen (Rheticus), um jovem professor de matemática de Wittenberg, se tornou seu discípulo. Rheticus foi a Frombork para pesquisar as ideias de Copérnico e, quando compreendeu sua importância, incentivou a publicação do trabalho.

Em 1540, Rheticus publicou um trabalho preliminar. Intitulado *Narratio prima de libris Revolutionum Copernici* (Primeira narrativa sobre o livro das Revoluções de Copérnico), o texto sumarizava a principal

MOVENDO A TERRA

Boa parte da edição original de 400 exemplares de *De Revolutionibus* não foi vendida, e certamente não houve um clamor por parte da Igreja Católica para Copérnico ser queimado em praça pública.

Na verdade, as únicas declarações hostis vieram dos protestantes. É provável que poucos tenham compreendido de imediato as reais implicações das ideias de Copérnico. E que aqueles que, de fato as compreenderam, tenham, em grande parte, permanecido quietos.

O astrônomo inglês Thomas Digges compreendeu de imediato e escreveu o primeiro comentário em inglês do sistema copernicano, em 1576. Digges, na verdade, foi mais longe que Copérnico, sugerindo que o universo em torno do sistema solar era infinito, com incontáveis estrelas em todas as direções.

Johann Kepler (1571-1630) aceitou o modelo copernicano e, mais ainda, numa brilhante façanha de inspiração matemática, encontrou um modo de fazê-lo se adequar às leis da física, usando para isso as observações de seu mestre, Thyco Brahe. Se as órbitas dos planetas forem elípticas, e não circulares, compreendeu Kepler, o sistema copernicano se adequaria perfeitamente aos fenômenos observados.

As ideias de Kepler foram publicadas no livro *Harmonice mundi* (Harmonia do mundo), de 1619, mas por essa época outro astrônomo, Giordano Bruno, tinha sido queimado na fogueira. Uma vez que Bruno era copernicano e, assim como Digges, acreditava num universo de infinitas estrelas, muitos acreditam que ele fora queimado por suas perigosas ideias astronômicas. De fato, ele foi condenado pela Inquisição por suas "blasfemas" crenças arianas e sua prática da magia.

Em 1610, Galileu viu com seu telescópio a evidência irrefutável de que Copérnico estava certo – luas circulando Júpiter e fases semelhantes às da Lua em Vênus. Quando Galileu começou a tornar públicas suas teses – direto do coração da Europa católica, em Florença –, a Igreja finalmente decidiu tomar providências.

Em 1616, 73 anos depois de sua publicação inicial, *De revolutionibus* foi banido. No mesmo ano, os cardeais convocaram Galileu a Roma e o proibiram de falar sobre copernicanismo. Galileu persistiu, e no final os cardeais tiveram de ameaçá-lo com a tortura para calar sua voz. A batalha, é claro, estava perdida para os defensores da visão canônica do universo. A revolução copernicana estava em pleno andamento. Contudo, passariam mais 200 anos antes que a Igreja Católica anulasse o banimento de *De revolutionibus*.

Após Galileu ter provado que Copérnico estava certo, a Igreja passou a censurar o copernicanismo

Representação do sistema de Copérnico, ilustração, atlas estelar *Harmonia Macrocosmica*, Johannes Janssonius, c. 1660

tese de Copérnico: a Terra se move em torno do Sol. Foi o impulso que faltava. Rheticus escreveu a um amigo em 9 de junho de 1541, contando que "havia finalmente vencido a relutância (de Copérnico) em liberar seu volume para publicação".

Em agosto daquele ano, *De revolutionibus orbium coelestium* estava pronto. Rheticus levou-o a Johann Petreius, o melhor impressor de Nuremberg. Incapaz de acompanhar a impressão pessoalmente, Rheticus delegou a tarefa a um ministro luterano chamado Osiander, mas esse se outorgou o direito de escrever um prefácio não assinado no qual dizia que as teses de Copérnico não pretendiam em absoluto descrever a realidade; elas eram simplesmente um modelo matemático para ajudar nos cálculos. Osiander até mesmo mudou o título do livro para fazê-lo soar menos definitivo. Ele estava, claro, preocupado com a reação às ideias revolucionárias de Copérnico. Quando Rheticus soube disso, possesso, rabiscou uma enorme cruz vermelha no prefácio de seu exemplar do livro.

O que Copérnico pensou de tudo isso, ninguém sabe, pois ele morreu de um derrame cerebral logo depois, em 1543. Conta-se que ele segurou pela primeira vez o novo livro quando recobrou por um breve período a consciência e morreu com ele nas mãos: pode-se apenas desejar que a história seja verdadeira.

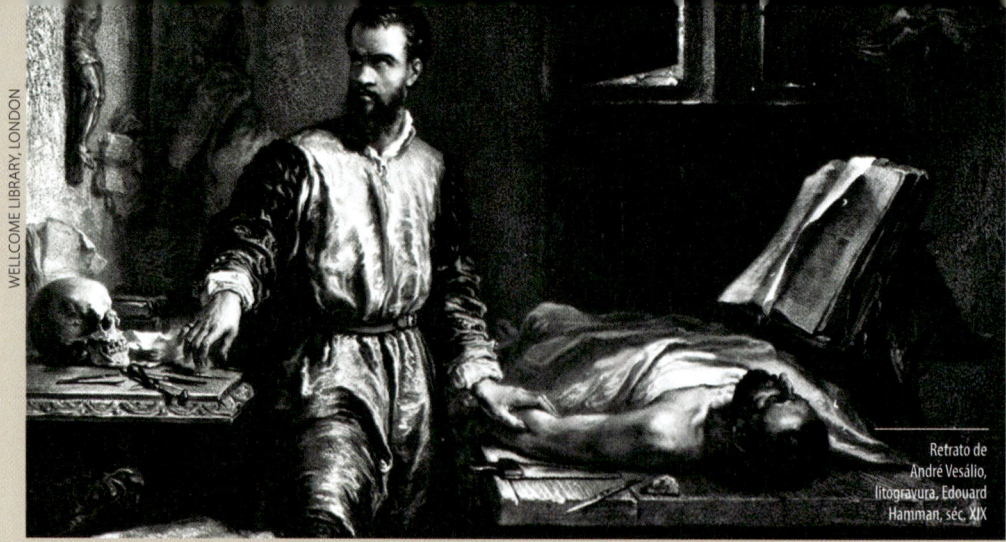

Retrato de André Vesálio, litogravura, Edouard Hamman, séc. XIX

André Vesálio
O CORPO HUMANO DESVENDADO

1514-1564

ELE FOI TALVEZ O MAIOR DE TODOS OS EXPLORADORES DO CORPO HUMANO, E SEU LIVRO *DE HUMANI CORPORIS FABRICA* FOI O PRIMEIRO GRANDE MARCO NA DESCOBERTA DA ANATOMIA

Até a época de Vesálio, no início do século XVI, o conhecimento da anatomia humana baseava-se essencialmente na fé cega e na suposição. Espantosamente, os estudantes de medicina aprendiam a anatomia humana não pelo estudo de corpos, e sim pela leitura das obras do médico romano Galeno (129-c. 216). Os estudantes assistiam a aulas nas quais cadáveres eram dissecados por um barbeiro – o que já era uma inovação –, mas eles próprios jamais faziam dissecações.

Galeno foi uma grande autoridade, talvez o médico mais habilidoso da Antiguidade, mas seu conhecimento real de anatomia era no mínimo duvidoso. No entanto, tão grande era sua influência que seu trabalho jamais havia sido questionado até o tempo de Vesálio.

Vesálio, de forma notável, quebrou dois tabus. Em primeiro lugar, ousou desafiar a autoridade de 1.300 anos de Galeno. Em segundo lugar, fez isso dissecando pessoalmente corpos humanos, examinando de perto a anatomia real e encorajando seus alunos a fazer o mesmo. Todo o conhecimento anatômico que ele adquiriu com isso foi posto em seu grande livro *Fabrica*, que lançou os fundamentos da medicina moderna.

ESTUDANTE APLICADO E EXCÊNTRICO

Vesálio nasceu numa família flamenga em Bruxelas, em 1514. Seu pai e seu avô haviam sido funcionários da corte a serviço do sagrado imperador romano-germânico, e ele tinha a ambição de se igualar a eles. Não há dúvida de que era um jovem extremamente focado e determinado. Ainda adolescente, iniciou os estudos médicos na Universidade de Louvain, e um desejo fanático de estudar anatomia já se evidenciava. Aos 16 anos, ele saía no meio da noite para roubar cadáveres da forca para dissecação, e logo começou a pedir aos juízes que marcassem as datas das execuções em dias adequados ao seu trabalho.

Em 1533, Vesálio foi estudar em Paris, onde à noite vasculhava os cemitérios em busca de cadáveres recentes, ou pilhava as fossas onde eram enterrados os indigentes, chegando a lutar com cachorros de rua por uma carcaça.

Para evitar olhares indesejados, ele levava os corpos para o seu quarto e os dissecava ali em segredo. Por vezes, ele dormia tendo a seu lado um cadáver em processo de apodrecimento, parcialmente dissecado. Como ele conservava as carcaças por várias semanas, o mau cheiro da decomposição devia ser quase insuportável.

Sua habilidade chamou atenção de Jacob Sylvius e John Guinter, os dois maiores anatomistas da Europa, que ensinavam em Paris. Quando tinha somente 23 anos, Vesálio tornou-se chefe do Departmento de Cirurgia e Anatomia na Universidade de Pádua, na Itália, na época a mais renomada escola médica do mundo.

VESÁLIO EM PÁDUA

Vesálio fazia ele próprio as dissecações enquanto descrevia a seus alunos exatamente o que estava descobrindo. Ele insistia que, para conhecer o corpo humano, era preciso dissecá-lo. Começava a verificar que Galeno nem sempre estava certo.

Em 1538, Vesálio contratou um artista para desenhar versões de seis das pranchas cujos esboços ele havia feito para seus alunos. Foram publicadas como *Tabulae anatomicae sex* (Seis pranchas anatômicas); três delas mostravam vistas do esqueleto humano, enquanto as outras três apresentavam o coração e todas as veias do corpo, a veia porta perto do coração e, por fim, o coração e todas as artérias. Foi uma novidade espantosa. Pouquíssimos trabalhos anatômicos anteriores eram ilustrados. O mentor de Vesálio, Jacob Sylvius, protestou, afirmando que as ilustrações induziriam os estudantes ao erro e degradavam a aprendizagem. Todavia, e isso era grave, as pranchas de Vesálio corrigiam alguns pequenos, mas importantes erros de Galeno.

Apesar da oposição que provocaram, as *Tabulae* tiveram sucesso imediato entre os estudantes. A reputação de Vesálio como anatomista começou a crescer.

Estimulado pelo sucesso das *Tabulae*, Vesálio dedicou quatro anos à produção do primeiro guia ilustrado abrangente e preciso da anatomia humana baseado em dissecações. No final do verão de 1543, quando estava com apenas 29 anos, *De humani corporis fabrica* (Sobre a estrutura do corpo humano) foi terminado. Vesálio enviou um magnífico exemplar de apresentação encadernado em seda púrpura ao imperador Carlos V, tendo mais de 200 fabulosas ilustrações coloridas à mão. O imperador ficou tão impressionado que, poucos meses depois, Vesálio foi convidado a se tornar um dos seus médicos pessoais.

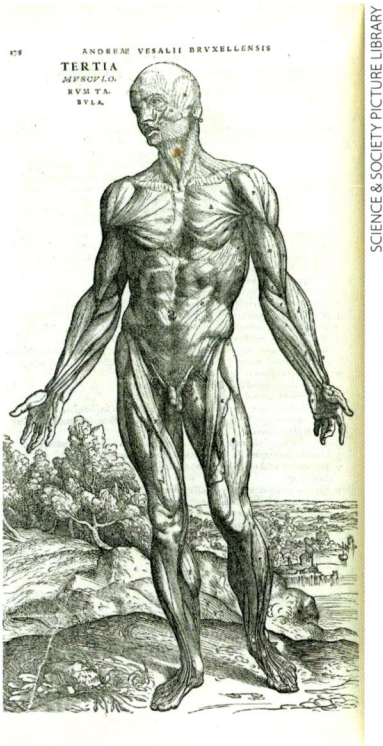

A página 178 do livro ilustrado *De humani corporis fabrica* mostra os músculos do corpo humano

OS LIVROS DO FABRICA

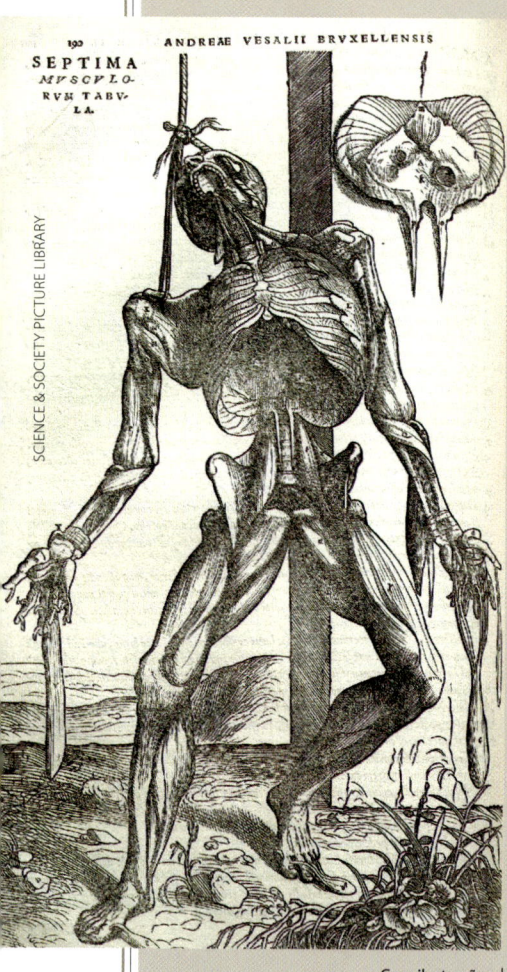

Com ilustrações precisas, o guia gerou polêmica

Fabrica, de Vesálio foi sem dúvida o maior livro médico até então produzido. Era impressionante até pelo tamanho, de 42 cm de altura e 28 cm de largura, e tinha mais de 700 páginas. Seu título completo era *De humani corporis fabrica, libri septem*, pois de fato era constituído de sete volumes (*libri septem*).

O Livro I revela a compreensão de Vesálio sobre a importância do esqueleto. Antes, ninguém havia percebido plenamente quão importantes são os ossos para dar ao corpo sua forma e seu movimento. Os ossos são desenhados com maravilhosos detalhes.

O livro termina com três páginas de desenhos do esqueleto completo adotando diferentes poses, entre elas suspenso em uma forca e inclinado sobre uma escrivaninha estudando anatomia!

O Livro II é sobre os músculos, e seus desenhos são igualmente magníficos. Os Livros III a VII têm uma beleza menos espetacular, mas ainda assim são profusamente ilustrados. O Livro III é sobre veias e artérias, o IV aborda o sistema nervoso; o V, os principais órgãos do corpo; o VI, o coração e os pulmões, e o VII, o cérebro.

O que fez de *Fabrica* um marco na história científica foi a impiedosa e austera precisão na representação do corpo humano, totalmente exposto na dissecação de tal modo que nem o menor canto permaneceu escondido. As engrenagens do corpo humano jamais haviam sido representadas tão precisamente.

Entretanto alguns comentários ferinos apareceram. Jacob Sylvius, mentor de Vesálio em Paris, em carta aberta ao imperador Carlos V, escreveu: "Suplico a Sua Imperial Majestade que castigue severamente, como ele merece, esse monstro nascido e criado em sua própria casa, esse pior exemplo de ignorância, ingratidão, arrogância e impiedade, para suprimi-lo de modo que ele não envenene o resto da Europa com seu hálito pestilento".

O MÉDICO REAL

Tendo alcançado sua ambição de se tornar funcionário da corte, Vesálio se acomodou numa distinta e conservadora carreira. Tornou-se um médico muito conhecido, respeitado por toda a Europa, e desposou uma jovem de Bruxelas, Anne van Hamme, tendo uma filha, também chamada Anne.

Vesálio insinuou mais tarde que sua decisão de abandonar a pesquisa e a academia foi em parte decorrente das críticas maldosas que recebeu ao publicar *Fabrica* – as quais, ele disse, "roíam a minha alma". Ele acrescentou que "não consideraria publicar nada novo ainda que quisesse muito fazê-lo".

Em 1564, Vesálio partiu em peregrinação para a Terra Santa. A razão disso não é conhecida. Uma teoria é que, durante sua permanência em Pádua, quando dissecava o corpo de um jovem aristocrata, ele vira, horrorizado, o suposto cadáver respirar, e a dissecação já havia ido longe demais para que Vesálio pudesse salvá-lo. A tragédia por muito tempo o assombrara, e a peregrinação talvez fosse uma penitência pelo terrível erro. Qualquer que fosse a razão, Vesálio jamais retornou, tendo morrido no navio quando voltava para casa.

Galileu demonstrando as novas teorias da astronomia na Universidade de Pádua, *óleo sobre tela*, Félix Parra, 1873

Galileu Galilei

1564–1642

"EPPUR SI MUOVE"

SUA INSISTÊNCIA NA OBSERVAÇÃO E NO EXPERIMENTO LANÇOU AS FUNDAÇÕES PARA A REVOLUÇÃO CIENTÍFICA DO SÉCULO XVII. A FORÇA DE SUAS IDEIAS, PORÉM, COLOCOU-O EM COLISÃO DIRETA COM A IGREJA CATÓLICA ROMANA

Brilhantemente criativo, Galileu Galilei alcançou muitas inovações científicas, cada uma das quais teria sido suficiente para assegurar-lhe um lugar na história. Para começar, ele era um engenhoso inventor, e entre suas mais notáveis ideias está o valor do pêndulo como marcador do tempo, que levou à criação dos primeiros relógios precisos. Outra invenção de Galileu foi o termômetro. Ele criou também o primeiro dispositivo simples para calcular a trajetória de um míssil, e pode-se dizer que desenvolveu o telescópio astronômico.

Acima de tudo, porém, ele era um grande cientista. Por exemplo, não pegou simplesmente o telescópio e o apresentou como um importante instrumento científico. Teve o insight de usá-lo para olhar o céu noturno e chegar a descobertas extraordinárias – entre elas, as montanhas e vales na superfície da Lua, os satélites de Júpiter, as fases de Vênus, semelhantes às da Lua; e as manchas solares. Foram essas descobertas que persuadiram Galileu de que era correta a perspectiva de Copérnico de que o Sol, e não a Terra, estava no centro do universo. Isso levou ao choque com a Igreja Católica, que insistia na velha visão ptolomaica da Terra fixa e imóvel no centro do universo.

Talvez as maiores conquistas de Galileu estejam na sua compreensão de como as coisas se movem, que criou a base para a moderna ciência da física. Por quase 2 mil anos, as pessoas aceitaram as visões de Aristóteles sobre como as coisas caem, por que as coisas param e vão, e como as coisas ficam mais rápidas ou mais lentas – e permaneceram cegas às evidências de seus sentidos. Galileu ultrapassou as visões de Aristóteles – e preparou o caminho para a plena compreensão de Newton sobre força, movimento e gravidade, meio século mais tarde.

Foi a insistência de Galileu na importância da demonstração, observação e experimentação que mostrou que Aristóteles estava errado. Ele não foi o único a olhar para as coisas dessa maneira. O pensador inglês Francis Bacon foi um pioneiro desses novos métodos. Contudo, Galileu os colocou em prática com tantos insights, e com efeito tão crucial, que merece ser chamado, como com frequência o é, de "pai da ciência moderna".

O JOVEM GALILEU

Galileu Galilei nasceu em Pisa, Itália, em 15 de fevereiro de 1564. Seu pai, Vincenzo, descendia de uma família florentina empobrecida. Vincenzo era músico e dotado de um espírito altamente independente e combativo, aspectos que o ruivo Galileu herdou.

Aos 10 anos, o menino foi mandado para a escola no mosteiro de Vallombrosa. Ele se adaptou tão bem à vida monástica que quatro anos depois o pai o tirou da escola, temeroso de que o filho escolhesse viver como um religioso pobre. Galileu passou alguns anos com tutores em Florença e, em seguida, o pai o levou para casa a fim de estudar medicina na Universidade de Pisa.

O jovem Galileu começou a desafiar seus mestres. Ele costumava se levantar e questionar os professores devido à absurda rigidez de suas ideias, que em grande medida vinham de Aristóteles. Por que, perguntava Galileu, todas as pedras de granizo atingem o solo com a mesma velocidade se as coisas mais pesadas caem mais rápido, como disse Aristóteles? E ria quando o professor sugeria que talvez fosse porque as pedras mais pesadas vinham de camadas mais altas. Vincenzo compreendeu que Galileu jamais possuiria a grave serenidade de um médico junto ao leito do enfermo.

Então Galileu descobriu a matemática – em especial os trabalhos do geômetra grego Euclides, que insistia em provas claras e demonstrações antes de aceitar qualquer coisa como verdadeira. Essa ideia fixou-se em Galileu pelo resto da vida. Ele ficou impressionado também com aquele outro grande matemático grego, Arquimedes, que havia começado a aplicar essa abordagem a todos os ramos da ciência, e não apenas à matemática. "Aqueles que leem os trabalhos dele", escreveu Galileu, "compreendem com toda a clareza quão inferiores são todas as outras mentes."

DESCOBRINDO A MATEMÁTICA

Vincenzo conseguiu que Galileu tivesse aulas de matemática com o brilhante matemático da corte florentina Ostilio Ricci, e o pupilo rapidamente ultrapassou o mestre. No final da adolescência, ele já era extremamente inventivo. Segundo uma história, ele estava na catedral de Pisa, ouvindo um tedioso sermão e observando preguiçosamente uma lâmpada que balançava num longo fio. Ele repentinamente notou que, qualquer que fosse a amplitude da oscilação, a lâmpada sempre completava sua oscilação exatamente no mesmo tempo.

Comprovando o fenômeno por meio de uma série de experimentos simples, em casa, o jovem compreendeu que ele poderia ser usado para construir um dispositivo de tempo; chamou-o de *pulsilogium*, porque podia ser usado para medir os batimentos do pulso de um paciente. Mais tarde, esse dispositivo tornou-se a base do relógio com pêndulo.

Aos 21 anos, Galileu começou a ensinar matemática; essa seria sua principal fonte de renda pelo resto da vida. De início, deu aulas particulares. Mais tarde foi nomeado professor na Universidade de Pisa, mas o pagamento era baixo. Em 1591, quando o pai morreu e Galileu teve de sustentar toda a família, ele aceitou um posto mais bem pago em Pádua e lá permaneceu por 18 anos.

Galileu chamava atenção perambulando pela universidade com roupas desalinhadas, sem as vestes acadêmicas regulamentares. Foi em Pádua que ele se envolveu com Marina Gamba, uma selvagem beleza das ruas, descrita na linguagem da época como *"una donna di facile costume"*. Eles jamais chegaram a se casar ou a morar juntos, mas tiveram três filhos e formaram efetivamente uma família.

Paralelamente a seu trabalho como professor, Galileu começou a investigar problemas científicos que despertavam seu interesse. Suas primeiras ideias sobre como as coisas se movem foram resumidas em 1590 numa série de ensaios intitulados *De motu* (Sobre o movimento), escritos quando ele estava em Pisa. Foi enquanto trabalhava nesse assunto que ele realizou seu famoso experimento na torre inclinada de Pisa.

Para mostrar o erro da noção de Aristóteles de que coisas mais pesadas caem mais rápido, ele deixou cair do alto da torre balas de canhão de diferentes tamanhos e pesos, e comprovou indubitavelmente que elas atingiam o solo ao mesmo tempo. Essas ideias foram desenvolvidas mais tarde em *La meccaniche* (A mecânica), que combinava matemática e física para criar a nova ciência da mecânica – o estudo da força e do movimento.

No verão de 1609, Galileu visitou Veneza e ficou intrigado com uma novidade chamada *perspicillium*, feita por um fabricante de lentes holandês. Consistia em duas lentes nas extremidades de um tubo e podia fazer um campanário distante parecer que estava do outro lado da rua. Inspirado, Galileu compreendeu como ele funcionava e construiu seu próprio modelo, com magnificação dez vezes superior. Chamou-o de telescópio, e o objeto rapidamente se tornou famoso por toda a Itália.

Num golpe de gênio, Galileu usou seu telescópio para olhar para a Lua e as estrelas à noite. Ele viu imediatamente que a Lua não era uma esfera perfeitamente lisa, como se acreditava, mas tinha montanhas, vales, penhascos e talvez até mesmo mares. Ele logo verificou que Júpiter tinha quatro luas. Em 1610, Galileu publicou essas descobertas num trabalho rebuscado em latim, intitulado *Sidereus Nuncius* (O mensageiro sideral).

GALILEU CONTRA A IGREJA

As descobertas de Galileu claramente implicavam que a Terra não estava no centro do universo, como a maioria das pessoas acreditava na época, mas se movia em torno do Sol, como Copérnico havia sugerido 70 anos antes. No entanto, não havia menção a isso no *Sidereus nuncius*. Na época em que Galileu se mudou para Florença para tornar-se "filósofo e matemático" na corte de Cosimo II de Médici, grão-duque da Toscana, os acadêmicos ainda eram partidários do modelo ptolomaico do universo, que situava a Terra imóvel no centro, com o Sol, a Lua, os planetas e as estrelas movendo-se em camadas perfeitas e imaculadas em torno dela.

Dois dos telescópios de Galileu, de c. 1610, hoje expostos no Museu Galileu, em Florença

Essas ideias se harmonizavam perfeitamente com a Bíblia, deixando o reino dos céus exclusivamente sob o controle de Deus. As crenças de Galileu podiam ser consideradas heréticas, e ele foi denunciado pela Inquisição como blasfemo. Esses eram tempos muito perigosos para os hereges. Mal haviam passado 30 anos desde que o astrônomo Giordano Bruno fora queimado em praça pública. Galileu foi a Roma em 1616 para defender o seu caso.

Os argumentos do cientista caíram em ouvidos surdos. O livro de Copérnico foi banido e Galileu, enviado de volta a Florença com a severa advertência de não "sustentar ou defender" as ideias do antecessor.

Contudo, em 1624, quando o aparentemente mais simpático Urbano VIII se tornou papa, Galileu retornou a Roma para reapresentar seu caso. Urbano disse que ele poderia escrever sobre "sistemas do mundo" desde que não defendesse o copernicanismo.

De imediato, Galileu – que na ocasião tinha mais de 60 anos – começou a escrever um livro em forma de diálogo entre três personagens: o esperto Sagredo (que argumenta em favor de Copérnico), o tolo Simplício (que argumenta desesperadamente em apoio a Aristóteles) e Salviati (que adota uma linha aparentemente neutra, mas é claramente por Sagredo). Intitulado *Dialogo sopra i due massimi sistemi del mondo* (Diálogo sobre os dois principais sistemas do mundo), o livro teve um sucesso imediato por toda a Europa. Foi então que os jesuítas disseram ao papa que o ridículo Simplício poderia ser baseado nele.

Galileu foi arrastado de volta a Roma por ordem do furioso pontífice. Ali, ele foi rapidamente obrigado pelas autoridades papais a negar – talvez sob ameaça de tortura – que a Terra se move em torno do Sol, e foi mandado de volta a Florença para ficar em prisão domiciliar pelo resto da vida. Diz a lenda que, enquanto era levado, ele murmurou "*Eppur si muove*" ("E, no entanto, ela se move").

Apesar da idade e da saúde em declínio, Galileu continuou a fazer pesquisa científica. Em 1637, pouco antes de ficar completamente cego, ele observou com seu telescópio que a Lua oscila em torno de seu eixo. Ele morreu em 8 de janeiro de 1642, o mesmo ano em que Newton nasceu na Inglaterra.

Decorreram 350 anos até o Vaticano admitir que "erros poderiam ter sido cometidos" no caso de Galileu, mas as autoridades eclesiásticas não precisavam ter se incomodado. No momento mesmo em que ele era levado ao túmulo, a revolução científica iniciada pelo gênio italiano estava ganhando ímpeto a passos largos, apesar da oposição do papa.

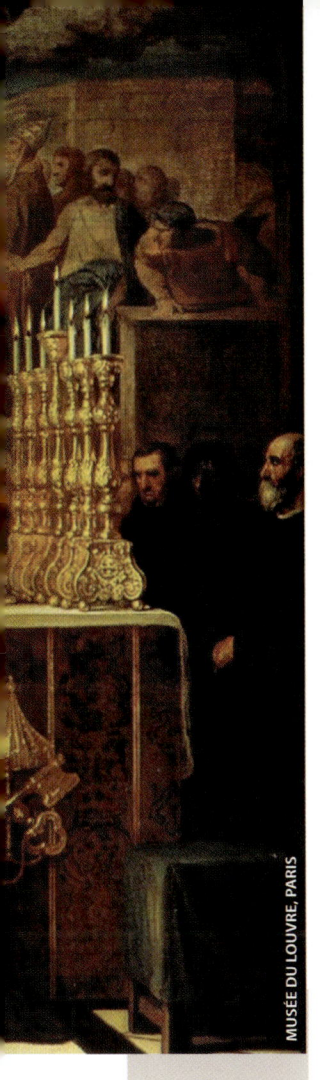

Julgado pela Igreja Católica, Galileu foi condenado a prisão domiciliar, mas suas teorias já estavam disseminadas

Galileu diante do Santo Ofício, óleo sobre tela, Joseph Nicolas Robert-Fleury, 1847

GALILEU E O MOVIMENTO

Os filósofos da Grécia antiga haviam conhecido muito sobre estática – ou seja, sobre coisas que não estão em movimento –, mas com frequência ficavam perdidos diante de questões de dinâmica, ou de como as coisas se movem. Eles podiam ver, por exemplo, que uma carroça se move porque um cavalo a puxa, e que uma flecha voa devido à potência do arco, mas não podiam explicar por que uma flecha continua a voar através do ar quando não há nada para puxá-la, como o cavalo que puxa a carroça. Aristóteles chegou à suposição de senso comum de que deve haver uma força para conservar algo em movimento – assim como uma bicicleta só continuará a se mover se o ciclista empurrar os pedais. Todavia, o senso comum pode estar errado, e o gênio de Galileu consistiu em perceber a superioridade da observação prática e do experimento, ou cimento como ele os chamou, sobre o senso comum. Após uma série de cimento – que envolviam bolas rolando por encostas –, Galileu compreendeu que a força não era necessária para manter algo em movimento.

Exatamente o oposto era verdadeiro: uma coisa vai continuar se movendo à mesma velocidade a menos que uma força diminua essa velocidade. É por isso que a flecha continua a voar pelo ar. Ela só cai porque a resistência do ar (uma força) a retarda o suficiente para ser puxada para o chão pela gravidade (outra força). É o princípio da inércia. Galileu resistiu à noção de gravidade porque a ideia tinha algo de "força mística", para ele pouco convincente, mas foi o primeiro a apresentar o conceito de inércia e a verificá-lo experimentalmente. Ele compreendeu que não existe uma diferença real entre algo que está se movendo com uma velocidade constante e algo que não está se movendo – ambos não são afetados por forças.

Entretanto, para fazer o objeto ir mais rápido ou mais devagar, ou começar a se mover, uma força é necessária. Experimentos posteriores, dessa vez com pesos oscilantes, levaram Galileu a um segundo insight crucial.

Ele começou a apreciar a noção de aceleração e o que a causa. Ele compreendeu que a aceleração depende da intensidade da força motora e do peso do objeto. Uma grande força acelera rapidamente um objeto leve, enquanto uma pequena força acelera lentamente um objeto pesado. Esses vislumbres de Galileu eram muito similares às primeiras duas das três leis do movimento que Newton descreveu 46 anos mais tarde nos Principia. É até mesmo possível que Galileu tivesse consciência da terceira lei – sobre ação e reação. Embora não formulasse suas ideias com a extraordinária lucidez e certeza matemática de Newton, ele efetivamente estabeleceu os fundamentos de nossa compreensão moderna de como as coisas se movem.

SÉCULO XVII

3

Christiaan Huygens, gravura, Jacques Antoine Friquet de Vauroze, 1687-1688

Christiaan Huygens
1629–1693

NOS CONFINS DO UNIVERSO

UM DOS POUCOS CIENTISTAS DO FINAL DO SÉCULO XVII COM UMA ESTATURA PRÓXIMA À DE NEWTON, ELE INVENTOU O RELÓGIO DE PÊNDULO, O PRIMEIRO VERDADEIRAMENTE PRECISO, E FEZ DESCOBERTAS ASTRONÔMICAS COMO A DA LUA DE SATURNO, TITÃ

Huygens viveu num tempo em que a ciência estava começando a deixar sua marca no mundo. As maiores mentes da Europa estavam enredadas no fervor da descoberta científica. Newton descobria a gravidade e as regras básicas que governavam todo o movimento no universo e, ao mesmo tempo que Leibniz, criava a matemática do cálculo; Hooke e Leeuwenhoek desvendavam o mundo microscópico. Huygens estava na linha de frente da revolução científica e viveu em seu foco: o noroeste da Europa.

Quando Huygens era um garoto que crescia nos Países Baixos, Galileu estava sendo ameaçado de tortura pelas autoridades papais por sugerir que a Terra talvez não fosse o centro fixo do universo. Não muito depois, Huygens escreveu: "Estaremos menos aptos a admirar o que este mundo chama de grande... quando sabemos que há uma profusão de tais Terras habitadas e adornadas tão bem quanto a nossa própria". Essas palavras não soariam fora do lugar na boca de um astrônomo da atualidade.

À semelhança de muitos cientistas de sua época, Huygens tinha um amplo leque de interesses. Ele construiu os próprios microscópios, com os quais fez importantes descobertas, e telescópios astronômicos, tecnicamente superiores a tudo o que até então existia. Com eles, descobriu a lua de Saturno, Titã, e a natureza dos anéis do planeta, mapeou a superfície de Marte pela primeira vez e identificou estrelas dentro da nebulosa de Órion.

Acima de tudo, Huygens é famoso por duas ideias cruciais. Em primeiro lugar, ele inventou o relógio de pêndulo, o primeiro marcador de tempo preciso do mundo, e explorou toda a matemática associada aos pêndulos – o que o levou, ao mesmo tempo que Hooke, a uma previsão pioneira do elo entre as órbitas elípticas dos planetas e o inverso do quadrado na lei da gravidade.

Huygens é famoso também pela proposta da teoria da onda de luz conhecida como "construção de Huygens", que ele apresentou em seu *Traité de la lumière* (Tratado sobre a luz), de 1690. Ela fornecia uma explicação muito melhor do que a de Newton sobre como a luz é refletida e refratada. O status de Newton assegurou que a teoria da onda de Huygens ficasse em segundo plano até o século XIX, quando o inglês Thomas Young realizou experimentos que pareceram, afinal, demonstrar que a luz pode se comportar simultaneamente como partícula e como onda. Assim, Huygens foi ampla e verdadeiramente vingado.

MEU PEQUENO ARQUIMEDES

Nascido em 14 de abril de 1629 numa casa suntuosa em Haia, Huygens cresceu em ambiente sofisticado. Seu pai, Constantin, era diplomata da República Unida dos Países Baixos, bem como poeta e patrono das artes. Havia sempre visitantes ilustres na casa, entre os quais o poeta inglês John Donne, o pintor holandês Rembrandt e o grande filósofo e matemático francês René Descartes.

Rodeado por essa galáxia de talentos, o jovem Christiaan tinha muitos modelos e desenvolveu um amor pelo conhecimento que incluiu diversos idiomas, arte, música, direito, engenharia e, acima de tudo, matemática. O pai o chamava de "*mon petit Archimède*" (meu pequeno Arquimedes, em francês). Para além dos livros, ele se tornou excelente jogador de cartas e craque no bilhar.

Aos 16 anos, Huygens foi para a Universidade de Leiden, onde estudou matemática e direito. Depois de dois anos, continuou os estudos na Universidade de Breda, ao mesmo tempo que já começava a construir sua reputação por meio de elegantes ensaios sobre importantes problemas matemáticos.

As atenções de Huygens, porém, logo se voltariam para os céus. Ele desenvolveu melhores maneiras de polir as lentes dos telescópios e em pouco tempo estava construindo os mais poderosos telescópios de sua época. Usando um deles, descobriu o satélite de Saturno, Titã, em março de 1655. No mesmo ano, fez sua primeira viagem a Paris, onde conheceu alguns dos mais ilustres pensadores da Europa.

Um dos primeiros relógios de Huygens e o livro *Horologium oscillatorium*, que explica o seu funcionamento, em um museu holandês

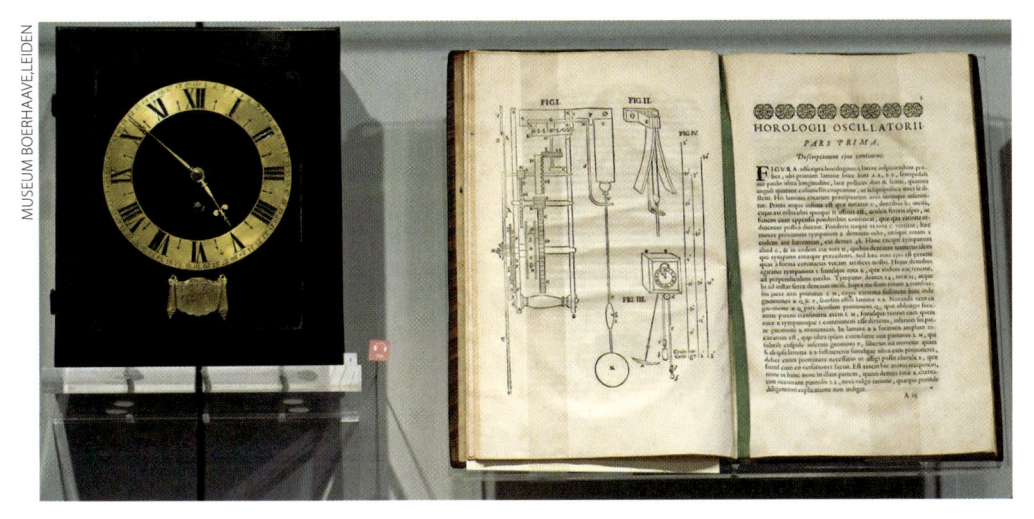

De volta à Holanda no ano seguinte, Huygens conseguiu ver a verdadeira natureza dos anéis de Saturno – uma estreita faixa de anéis em torno do planeta que parecem mudar de formato simplesmente porque os vemos da Terra de diferentes ângulos. Os astrônomos com telescópios inferiores não aceitaram num primeiro momento sua descrição, mas, à medida que os telescópios foram aperfeiçoados, verificou-se que Huygens estava certo. O trabalho em astronomia exigia uma observação precisa do tempo e, por isso, Huygens desenvolveu o relógio de pêndulo, descrito em seu famoso livro *Horologium* (1658).

HOMEM DE SOCIEDADE

A essa altura, a reputação de Huygens aumentava. Quando ele retornou a Paris, em 1660, tornou-se parte de um círculo que incluía Pascal, Carcavi e Sorbière. Huygens escreveu a seu irmão que "havia encontros todas as terças-feiras nos quais 20 ou 30 homens ilustres se reúnem. Eu jamais deixo de comparecer...".

Três anos depois, Huygens foi convidado a ingressar na Royal Society, em Londres. Mais tarde, em 1666, tornou-se um dos membros fundadores do equivalente francês da Royal Society, a Académie Royale des Sciences. Ele mudou-se para Paris, tornou-se uma das figuras mais expressivas da Académie e, em 1672, foi eleito seu presidente, honra ímpar para um holandês.

Huygens permaneceu em Paris por 15 anos. Durante esse tempo, elaborou suas teorias sobre a luz e desenvolveu ainda mais seu relógio de pêndulo, tentando criar um instrumento preciso o suficiente para ser usado em navios e resolver o problema da determinação da longitude. Ele inventou uma lanterna mágica, ancestral dos modernos projetores, e uma máquina acionada por pólvora. Conta-se também que deu aulas de matemática a Leibniz, mais tarde um grande matemático, cientista e filósofo.

O outro lado da moeda é que Huygens era constantemente golpeado pela doença. Em 1670, ele voltou por um breve período à Holanda, acreditando estar à beira da morte. Enquanto jazia na cama, chamou o embaixador inglês para dar-lhe seus papéis sobre mecânica, dizendo que queria depositar seus "pequenos esforços" nas mãos da Royal Society.

Em 1681, Huygens estava tão doente que foi obrigado a desistir de sua posição na Académie e retornar a Haia. Recuperado, em 1689 conheceu Newton, em Londres. Este o descreveu como "o mais elegante matemático da época", mas os dois não concordaram sobre muitos pontos. Newton pensava que a luz era feita de partículas, ao passo que Huygens julgava que ela se movia em ondas. Ainda mais importante, Huygens não estava convencido da correção da teoria da gravitação universal de Newton: "Tenho um grande apreço por seu entendimento e sutileza, mas considero que foi feito mau uso deles na maior parte desse trabalho (...) quando toma por base o improvável princípio da atração". Como Galileu, Huygens achava que a ideia de uma força invisível era exotérica demais.

A FRONTEIRA FINAL

As ideias de Huygens culminaram no livro *Cosmotheoros* (1698). Esse livro extraordinário foi o primeiro trabalho científico sério sobre a ideia de um gigantesco universo povoado com "tantos Sóis, tantas Terras". "O quanto deverão nosso espanto e nossa admiração aumentarem", escreveu ele, "quando consideramos a prodigiosa distância e multiplicidade das estrelas."

Ainda mais espantosas foram as discussões de Huygens sobre a possibilidade de vida extraterrestre: "O homem que é da opinião de Copérnico de que esta Terra nossa é um planeta, arrastado e iluminado pelo Sol como os demais planetas, não pode deixar de por vezes imaginar que não é improvável que o resto dos planetas tenha seus trajes e seu mobiliário – e igualmente seus habitantes, como esta Terra nossa, especialmente se considerarmos as mais recentes descobertas desde o tempo de Copérnico, como a das (luas) de Júpiter e Saturno".

Esse livro foi muito admirado em seu tempo, mas decorreram três séculos antes que os cientistas chegassem a uma posição na qual podem investigar seriamente a possibilidade de vida extraterrestre. *Cosmotheoros* foi publicado postumamente. Os anos 1690, para Huygens, foram marcados pela rápida deterioração de sua saúde, e ele morreu depois de considerável sofrimento em março de 1693.

HUYGENS E O TEMPO

Galileu foi o primeiro a chamar atenção do mundo para as possibilidades de um pêndulo oscilante para a marcação do tempo, mas foi Huygens quem o ligou com êxito a um mecanismo de escape – o peso e as engrenagens que mantêm em funcionamento os ponteiros do relógio – para criar o primeiro relógio de pêndulo, descrito em *Horologium* (1658).

Relógios que usavam pesos e engrenagens já tinham amplo uso, mas eram pouco precisos, ganhando ou perdendo pelo menos 15 minutos por dia. O relógio de Huygens tinha margem de variação de cerca de um minuto numa semana.

Huygens logo percebeu o potencial comercial e, um ano depois, esses relógios começaram a ser fabricados sob licença. Logo, era usado para marcar o tempo por todo o norte da Europa. Foi uma invenção crucial, não apenas para o mundo em geral, mas também para o progresso da ciência. Huygens, porém, não estava satisfeito. Ele queria construir um relógio que marcasse com perfeição o tempo, para ser levado nos navios e usado para medições da longitude.

Qualquer erro para mais ou para menos na medição do tempo acarretaria enormes enganos no cálculo de posição.

Grandes relógios de pêndulo em instalações científicas podiam ser precisos o suficiente, mas era totalmente impraticável embarcá-los num navio. Então Huygens se esforçou para descobrir por que os relógios de pêndulo menores eram pouco precisos. Verificou que, afinal, um simples pêndulo não é de fato um marcador de tempo perfeito. Na verdade, ele completa oscilações menores mais rápido do que grandes oscilações – portanto não é "isócrono" (movimento que se realiza com a mesma duração). Qualquer variação no tamanho da oscilação faria um relógio adiantar ou atrasar. Huygens compreendeu que isso ocorria porque o peso do pêndulo seguia uma trajetória circular. Ele mostrou matematicamente em seu grande livro *Horologium oscillatorium* (1673) que, se a trajetória do peso fosse uma cicloide em vez de um círculo, ele seria isócrono independentemente do comprimento da oscilação.

(Uma cicloide é a curva definida por um ponto no aro de uma roda enquanto ela gira.)

O gênio inventivo de Huygens permitiu-lhe ir em frente e fazer o pêndulo oscilar numa cicloide ao suspender a haste rígida do pêndulo em dois cabos cuja oscilação para ambos os lados estava limitada por duas placas chamadas de "controles cicloidais". Contudo, apesar de uma série de testes no mar, o relógio de pêndulo cicloidal de Huygens jamais chegou a funcionar na prática. Passariam mais 100 anos antes que o fabricante de relógios inglês John Harrison fizesse um "cronômetro" suficientemente preciso e resistente para ser usado no mar e resolver o problema da longitude.

Se o relógio de Huygens não foi um sucesso total, seu trabalho teórico representou um marco na ciência, tendo papel decisivo na compreensão da força centrífuga. Também preparou a fundação para as leis do movimento de Newton ao mostrar como um objeto vai se mover em linha reta, a menos que seja puxado para uma trajetória curva por outra força.

Retrato de Anton von Leeuwenhoek, óleo sobre tela, Jan Verkolje, c. 1680

Anton von Leeuwenhoek
1632–1723

O MENOR DOS MUNDOS

HOMEM DE RARA MODÉSTIA, ELE VIVEU SEMPRE EM DELFT, COMO COMERCIANTE DE TECIDOS. MAS EM CASA DESCOBRIU UM MUNDO NOVO: A VIDA MICROSCÓPICA, QUE INCLUÍA BACTÉRIAS E PROTOZOÁRIOS

Até Leeuwenhoek começar a trabalhar com seu microscópio, acreditava-se que as moscas fossem a menor forma de vida possível, e elas claramente eram bem visíveis. Ninguém tinha a menor suspeita de que pudesse haver algo menor. E, então, foi inventado o microscópio.

Ninguém sabe exatamente quem o inventou. Durante milhares de anos, os artesãos vinham usando gotas de água e cristais de rocha para fazer os objetos parecerem maiores, mas o crédito pela criação de um aparelho especial geralmente é dado a um fabricante de lentes holandês do final do século XVI chamado Zacharias Janssen. Ele era hábil em polir vidros para fazê-los ampliar imagens, e sua inovação foi colocar duas lentes juntas, o que aumentou dramaticamente o poder de ampliação.

Os cientistas logo começaram a perceber as possibilidades do microscópio de Janssen e a aperfeiçoá-lo. Em 1665, o grande cientista inglês Robert Hooke publicou o livro *Micrographia*, no qual explicou os princípios básicos da microscopia, e mostrou os primeiros desenhos de uma minúscula célula viva, que ele havia visto num pedaço de cortiça. Entretanto jamais ocorrera aos cientistas procurar a vida com um microscópio em qualquer lugar onde ela não pudesse ser vista a olho nu. Eles usaram seus microscópios para estudar bem de perto coisas como a pele, cabelos ou cortiça.

A brilhante inovação de Leeuwenhoek foi usar seu microscópio para buscar em todos os materiais aquilo que não se conseguia ver a olho nu, particularmente líquidos. Ele estudou um leque extraordinário de coisas com seu microscópio – gotas de chuva, placa dentária, estrume, esperma, sangue e muito mais. Com esses materiais aparentemente sem vida, Leeuwenhoek descobriu a fervilhante riqueza do mundo microscópico.

O HUMILDE COMERCIANTE DE TECIDOS

Leeuwenhoek nasceu em Delft em 24 de outubro de 1632 e teve origem humilde. O pai era cesteiro e a família da mãe fabricava cerveja. Aos 16 anos, ele tornou-se aprendiz na loja de tecidos do tio. Quatro anos depois, voltou a Delft, estabeleceu-se como comerciante de tecidos e exerceu essa atividade pelo restante de seus 91 anos. Ele foi também executor testamentário do pintor Jan Vermeer, seu amigo.

Aos 22 anos, Leeuwenhoek desposou Bárbara. Tiveram cinco filhos antes de ela morrer, 12 anos depois, mas apenas um deles – Maria – sobreviveu. Ele casou-se de novo, mas a segunda mulher também morreu, e depois disso Maria foi morar com o pai e cuidou dele com enorme devoção até os últimos dias do cientista.

Leeuwenhoek foi inspirado a se dedicar à microscopia em algum momento por volta de 1668, depois de ter visto um exemplar da *Micrographia* de Hooke, muito popular na época, embora talvez já usasse lentes para examinar tecidos. Ao contrário de Hooke, Leeuwenhoek não utilizou um microscópio "composto" de duas lentes, mas uma lente única de alta qualidade, que podia ser descrita simplesmente como um vidro amplificador em vez de um microscópio.

Na época, era mais fácil conseguir uma imagem nítida com esses microscópios simples. Problemas como o embaçamento tornavam impossível fazer microscópios compostos que ampliassem a imagem mais de 20 ou 30 vezes, mas Leeuwenhoek conseguiu polir bem seus microscópios de lente única e, depois de ter refinado sua técnica durante anos, foi capaz de ver coisas com uma ampliação superior a 200 vezes, algo que ninguém mais conseguiria por quase dois séculos.

Leeuwenhoek construiu mais de 500 desses microscópios de lente única, mas apenas dez sobreviveram. São aparelhos muito simples, de poucas polegadas de comprimento, com a lente montada numa pequena cavidade numa placa de bronze. A amostra examinada é posicionada num ponto à frente da lente. Dois parafusos de regulagem movem a amostra para focalização. Depois disso, é questão de boa iluminação e visão aguçada.

CARTAS PARA A ROYAL SOCIETY

Depois de aperfeiçoar durante anos seus pequenos microscópios, Leeuwenhoek começou a examinar coisas como o bolor e os insetos com incrível aproximação, vendo pela primeira vez, por exemplo, a complexa estrutura do olho de uma abelha. Em 1673, ele contatou o anatomista holandês Regnier de Graaf para contar-lhe o que havia observado. De Graaf escreveu a Henry Oldenburg, presidente da Royal Society – o polo da ciência do século XVII – sobre o maravilhoso microscópio de Leeuwenhoek. Oldenburg imediatamente convidou-o a escrever uma carta relatando suas descobertas, que seria publicada no *Philosophical Transactions*, o jornal da Royal Society.

Para o humilde comerciante de tecidos holandês, esse convite deve ter sido esmagador. Na carta, Leeuwenhoek escreveu que jamais havia tentado publicar seus resultados por não ter certeza de conseguir se expressar claramente. Além disso, não falava latim, a linguagem internacional dos cientistas da época. Ele escreveu em holandês e providenciou a tradução para o latim.

A primeira carta não relatou mais do que Hooke havia visto uma década antes, mas foi suficientemente bem recebida para que Leeuwenhoek ficasse encorajado. Ele continuou a enviar seus relatos por 50 anos, mais do que qualquer membro da Real Society até hoje.

Ele foi aos poucos aperfeiçoando sua técnica. Em 1674, relatou que vira pequenas criaturas na água de um lago: "Eu encontrei flutuando ali diversas partículas terrosas e algumas riscas verdes, espiraladas como uma serpente, e dispostas em ordem, fazendo lembrar os tubos de cobre ou de estanho que os destiladores usam para resfriar o líquido durante a destilação. A circunferência total de cada uma dessas riscas tinha aproximadamente a espessura de um fio de cabelo humano".

A carta mais notável é a 18, datada de outubro de 1676, na qual ele relata a descoberta, em gotas de água, daquilo que designamos bactérias. Em 1677, ele descreveu como examinou seu próprio sêmen. Nele eram abundantes os minúsculos animais que chamamos atualmente de espermatozoides, mas, ao contrário das criaturas na água da chuva, os "animálculos" no sêmen eram todos idênticos. Cada um dos muitos milhares que ele examinou tinha uma cauda e uma cabeça minúsculas, e nada mais. Ele podia vê-los nadando no sêmen como girinos. Isso foi demais para que acreditassem nele, e se passariam décadas antes que a descrição do esperma feita por Leeuwenhoek fosse aceita.

Microscópio de Leeuwenhoek: com a lente única, o cientista fazia ampliações superiores a 200 vezes

CAUSADORES DE DOENÇAS

Na Carta 39, de 1683, Leeuwenhoek conta como examinou sua própria saliva e a placa raspada de seus dentes. Ele informou que a saliva não continha animálculos, mas a placa estava cheia deles, "que se movem lindamente". "O tipo maior", disse ele, "tinha um movimento muito forte e rápido, e avançava como um peixe através da água. O segundo tipo (...) por vezes rodopiava como um pião (...) e era muito mais numeroso." Ele observou também que, depois de ter bebido café bem quente, a placa tirada de seus dentes não continha mais animálculos, e concluiu: "O calor provavelmente matou meus pequenos animais".

Pouco tempo depois, Leeuwenhoek chegou perto de compreender que as bactérias podem causar doenças, quando notou um aumento dramático no número de animálculos em sua boca, quando ele estava com um dente podre. Passaria outro século antes de Pasteur dar esse passo, mas, de muitas maneiras, a compreensão de Leeuwenhoek estava mais perto de nossa moderna visão das bactérias e do papel importante, por vezes benéfico, que desempenham.

Por ocasião de sua morte, em 26 de agosto de 1723, Leeuwenhoek era relativamente famoso. Até a rainha Mary da Inglaterra, além de príncipes do Sacro Império Romano-Germânico haviam visitado sua casa para ver suas maravilhas microscópicas. Ele, porém, jamais buscou algo além de uma vida tranquila com sua filha e seu microscópio.

DESCOBRINDO AS BACTÉRIAS

A famosa Carta 18 de Leeuwenhoek tinha 17 páginas e meia. Ele começa modestamente, repassando seu diário científico do ano anterior: "No ano 1675, aproximadamente em meados de setembro (...) descobri pequenas criaturas em água da chuva que havia ficado alguns dias dentro de um tubo pintado de azul em seu interior". Leeuwenhoek pensou que valia a pena explorar o que mais pudesse haver na água, pois, como disse: "A meus olhos esses pequenos animais são mais de 10 mil vezes menores que (...) as pulgas de água que podem ser vistas vivas e movendo-se a olho nu". Ele estava especialmente interessado em criaturas que pareciam ter "pernas" e "caudas" que lhes permitiam mover-se com rapidez na água: "Quando se tornam ativos, eles por vezes projetam dois pequenos chifres que se movem continuamente, como as orelhas de um cavalo".

Não está totalmente comprovado o que eram essas criaturas, embora possamos suspeitar que fossem bactérias. A seguir, porém, Leeuwenhoek descreve como examinou água que havia recebido uma infusão de pimenta-preta, e o que ele viu eram claramente bactérias. Essas criaturas moviam-se tão pouco que ele não ficou totalmente certo de que estivessem vivas, mas havia indícios suficientes.

A ideia de haver dezenas de milhares de pequenas criaturas em uma única gota de água era tão espantosa que Henry Oldenburg pediu a Leeuwenhoek que convocasse testemunhas independentes para verificar suas descobertas.

O comerciante de tecidos convidou alguns dos mais respeitáveis cidadãos de Delft, entre eles o vigário, a olhar através de seu microscópio. Eles confirmaram o que ele havia visto. Um ano depois, Hooke também confirmou a descoberta por meio das próprias observações, realizadas diante de testemunhas qualificadas.

Retrato memorial de Robert Hooke, *óleo sobre painel de madeira*, Rita Norah Greer, 2011

Robert Hooke
O MAIS INVENTIVO DOS CIENTISTAS

1635–1703

ELE É UM DOS GRANDES HERÓIS MENOS CELEBRADOS DA CIÊNCIA E DEU CONTRIBUIÇÕES CRUCIAIS PARA QUASE TODOS OS RAMOS DA REVOLUÇÃO CIENTÍFICA DO SÉCULO XVII

A maioria conhece o nome por causa da lei de Hooke, sobre elasticidade. Ela basicamente diz que a força com que qualquer material elástico volta quando comprimido ou esticado depende da força usada para comprimi-lo ou esticá-lo. Trata-se de uma lei importante, mas é apenas um pequeno exemplo da contribuição desse inglês para a ciência. A amplitude e diversidade das atividades de Hooke são verdadeiramente espantosas, a ponto de alguns especialistas o descreverem como o Leonardo da Vinci inglês. Ele foi talvez o mais prático e criativo de todos os grandes cientistas, e seu leque de invenções iguala, caso não ultrapasse, suas ideias teóricas. Entre as muitas invenções de Hooke estão a corneta acústica, as janelas de painéis móveis, o anemômetro (para medir a velocidade do vento), o higrômetro (para medir a umidade), o barômetro de roda (para mostrar como a pressão do ar varia), a retícula (para observações telescópicas e, mais tarde, a mira de armas de fogo), o diafragma da íris (usado em câmaras fotográficas), respiradores, bombas de ar, a junta universal (agora amplamente usada nos eixos de transmissão dos carros), uma quilha auto-estabilizadora para barcos, uma forma pioneira de sonar, uma espingarda de ar comprimido – e a lista prossegue.

Como Da Vinci, Hooke trabalhou em máquinas voadoras e chegou a antecipar o advento do motor a vapor. Não por acaso, seu amigo, o famoso escritor John Aubrey, o descreveu como "o maior mecânico da atualidade no mundo".

Entretanto Hooke não era em absoluto apenas um técnico engenhoso, mas, sobretudo, um cientista visionário. Sabe-se que ele colaborou com a maioria dos grandes de seu tempo: Boyle, Newton, Huygens, Leeuwenhoek... E, claramente, contribuiu muito para o trabalho deles. Newton, por exemplo, lutou longa e asperamente com Hooke pela primazia na ideia crucial de que a força da gravidade diminui com o quadrado da distância entre as coisas (a lei do inverso do quadrado). As evidências apontam em favor de Hooke, mas Newton efetivamente conseguiu apagar dos registros o papel do rival em seu trabalho.

Hooke foi o grande pioneiro dos estudos com o microscópio, tendo cunhado a palavra "célula" para os pacotes microscópicos com que todas as coisas vivas são construídas. Sua *Micrographia* foi o maior livro da época sobre o mundo microscópico. Ele foi também o fundador da ciência da meteorologia, ao conseguir medir variantes como a velocidade do vento e a pressão do ar e sugerir que a conservação de registros precisos poderia resultar na previsão do tempo.

Como se tudo isso não fosse suficiente, Hooke foi ainda um importante arquiteto e o projetista de muitas construções. Acredita-se que o famoso Monumento do Incêndio de Londres, a mais alta coluna em estilo grego do mundo, foi projetado por ele.

VARÍOLA

Robert Hooke nasceu em 18 de julho de 1635 em Freshwater, na ilha de Wight. Mais tarde, ele descreveu os primeiros anos de sua infância como "encantados", mas na verdade foi atingido pela varíola, que deixou cicatrizes. A mãe não é mencionada em suas lembranças, e ele parece ter passado muito tempo sozinho.

A grande tragédia da infância de Robert ocorreu quando ele tinha 11 anos. Foi o suicídio do pai, um clérigo que perdeu os meios de subsistência após a derrota realista na guerra civil inglesa. Robert foi deixado com um pequeno legado de 40 libras e viajou a Londres para ingressar como aprendiz no estúdio do pintor Peter Lely, famoso pelos retratos do rei Carlos I. Depois de cerca de um ano, durante o qual aprendeu valiosas habilidades de desenho, ele decidiu que precisava de uma educação formal e usou seu legado para se matricular na escola de Westminster. Robert tinha 13 anos e leu todos os trabalhos de Euclides em sua primeira semana.

A Universidade de Oxford, onde pagou seus estudos graças a uma bolsa pela participação num coral, foi seu porto seguinte. Ali, no final dos anos 1650, Hooke conheceu o famoso químico irlandês Robert Boyle, e por algum tempo foi seu assistente. A pedido de Boyle, o rapaz elaborou um projeto engenhoso para uma bomba de ar que permitiu ao químico mostrar que, quando um gás é comprimido, sua pressão aumenta na mesma proporção – o que resultou nas famosas leis dos gases. O modelo de Hooke é a base para as bombas de ar até os dias de hoje.

Boyle e Hooke formaram o núcleo do brilhante grupo de cientistas de Gresham College, em Oxford, que criaria a Royal Society, a mais famosa academia de ciências do mundo. Hooke foi nomeado o primeiro curador de experimentos da instituição. Esse cargo, não remunerado por anos, implicava que Ele

MICROGRAPHIA

Micrographia foi talvez o primeiro livro de ciência popular na história. O famoso autor Samuel Pepys obteve um exemplar tão logo possível e escreveu: "Antes de ir para a cama fiquei até as duas da manhã em meu quarto lendo as observações microscópicas do sr. Hooke, o livro mais brilhante que li na minha vida".

Capa de edição de 1667 de *Micrographia*: livro de Hooke detalhava seus estudos sobre a vida microscópica

Hooke talvez tenha sido o primeiro cientista a usar o microscópio para estudar a vida em detalhe microscópico. Utilizando um microscópio composto de primeira classe que ele mesmo fabricara, estudou organismos tão diversos quanto insetos, esponjas e protozoários. *Micrographia* é um registro meticuloso de suas observações e inclui seus magníficos desenhos do que ele viu. Hooke foi o primeiro a ver coisas como os pelos minúsculos nas patas de uma mosca.

Sua mais famosa observação foram delgados pedaços de cortiça, sobre os quais escreveu: "Eu podia ver claramente que eram todos perfurados e porosos, fazendo lembrar um favo de mel, mas que seus poros eram regulares. Esses poros, ou células, foram com efeito os primeiros poros microscópicos que vi e, talvez, que até hoje foram vistos (...)".

Na verdade, como sabemos agora, Hooke havia descoberto as células vivas e lhes deu esse nome porque o faziam lembrar das celas de um mosteiro.

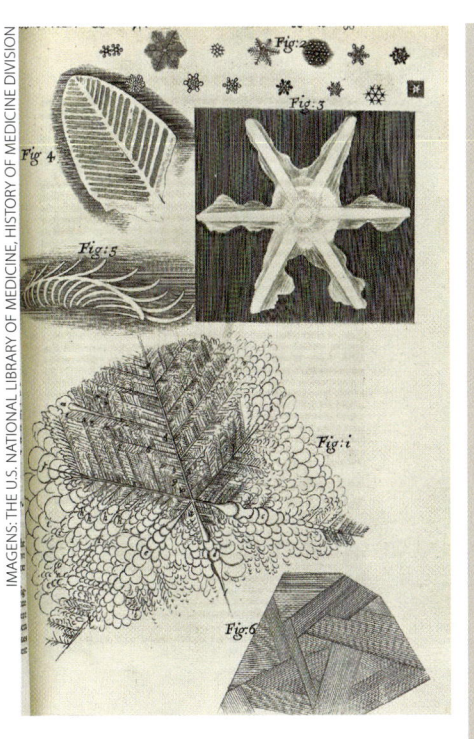

Ilustrações de *Micrographia* mostram detalhes de flocos de neve: Com a obra, Hooke alcançou fama mundial

deveria realizar experimentos práticos em todas as reuniões da Royal Society. É difícil imaginar qualquer um além de Hooke que estivesse disposto a cumprir uma tarefa tão árdua – e tivesse um sucesso tão assombroso em sua atuação.

Hooke apresentou uma profusão de ideias científicas originais e demonstrações práticas inigualáveis, antes ou depois dele. Sua mente ágil saltava de uma tarefa a outra com espantosa rapidez, mas talvez tenha sido por isso que ele jamais desenvolveu uma ideia única até o ponto de se tornar famoso por ela de forma duradoura.

Seja como for, ele alcançou fama mundial quando publicou os frutos de seu trabalho experimental com microscópios no livro *Micrographia*, em 1665. Entretanto ele começou a ficar cada vez mais amargo e isolado à medida que outros cientistas passaram a receber o crédito por teorias que ele havia sugerido ou comprovado.

A BATALHA COM NEWTON

A disputa mais amarga foi travada com Newton. Em 1672, quando este tornou conhecida sua teoria da luz e da cor, Hooke observou que ele próprio havia sugerido sete anos antes o que havia de correto na teoria de Newton. Ele argumentou também que a luz não viajava como partículas, como sustentava o colega, e sim como ondas – uma ideia mais tarde atribuída a Huygens. As linhas de batalha começaram a ser traçadas entre esses gigantes.

Nos anos 1680, quando Newton mencionou pela primeira vez suas ideias sobre a gravidade, ele havia sugerido que esta era uma constante – quer dizer, tinha a mesma força em toda parte. Hooke sugeriu que a trajetória elíptica da órbita dos planetas poderia ser mais bem explicada se a gravidade não fosse constante, mas obedecesse a uma lei do inverso do quadrado, diminuindo com o aumento do quadrado da distância entre objetos. É claro, porém, que Hooke ainda não tinha prova de sua ideia – ainda que uma década antes ele tivesse feito importantes observações para comprová-la, usando um telescópio de zênite em Oxford.

Em resposta a Hooke, Newton escreveu nos anos seguintes seu grande livro *Principia*, no qual forneceu as provas matemáticas de que a gravidade efetivamente obedece a essa lei do inverso do quadrado. Quando Newton estava prestes a publicar *Principia*, Hooke insistiu na Royal Society que se creditasse a ele esse fundamento teórico decisivo do trabalho de Newton.

Newton ficou enfurecido e de imediato eliminou praticamente todas as referências a Hooke em seu livro. Numa resposta famosa, citou uma velha expressão retórica latina: "Só porque alguém afirma que poderia ser assim não significa que assim seja" – implicando que o crédito deveria ir totalmente para o cientista que comprovou a ideia. Newton era uma figura tão poderosa que a visão negativa sobre Hooke subsiste até hoje.

ANOS FINAIS

Hooke envelhecia, cada vez mais deprimido e isolado. Segundo relatos, tão profundo era o ódio de Newton por ele que, ao se tornar presidente da Royal Society, os retratos de Hooke que existiam ali foram destruídos.

Ao entrar na casa dos 60 anos, o cientista era uma ruína física e emocional. A batalha com Newton e o ritmo exaustivo de toda a sua vida, trabalhando noite após noite em experimentos, cobrava seu preço. Ele havia mesmo tentado muitos experimentos no próprio corpo e havia utilizado ocasionalmente drogas estimulantes. Isso não poderia durar.

Em seus meses finais, os amigos se afastaram um a um, incapazes de lidar com seus surtos de paranoia. Ele morreu sozinho em seus aposentos no Gresham College, em 3 de março de 1703, sob os cuidados apenas de uma jovem serviçal.

Retrato de Isaac Newton, *óleo sobre tela, escola inglesa, 1715-1720*

PRIVATE COLLECTION

Sir Isaac Newton

1642–1727

O PRIMADO DA CIÊNCIA

O CONSENSO O APONTA COMO O MAIOR CIENTISTA DE TODOS OS TEMPOS. ELE "DESCOBRIU" A GRAVIDADE E AS GRANDES LEIS DO MOVIMENTO, QUE ESTÃO NA BASE DE TODA A FÍSICA MODERNA. MAS TAMBÉM CRIOU A MATEMÁTICA DO CÁLCULO E REVELOU OS SEGREDOS DA LUZ COLORIDA

A visão de Newton sobre o movimento das coisas é, para nós, algo dado, a ponto de ser difícil imaginar quão revolucionária ela foi. Antes dele, não havia a noção de que o movimento de um peixe no mar ou de papéis levados pelo vento tinham algo em comum com o movimento dos astros, e muito menos que fossem previsíveis de algum modo. Consideravam-se que eram controlados por fatores únicos, locais, ou então pela vontade dos deuses. O universo era, essencialmente, um lugar misterioso.

Com a lei da gravidade e as três leis do movimento, Newton mostrou que todo movimento, grande ou pequeno, no solo ou nos mais distantes confins do espaço, comporta-se de acordo com as mesmas leis simples, universais. Em *Philosophiae naturalis principia mathematica* (Os princípios matemáticos da filosofia natural), ou simplesmente *Principia*, o maior livro de ciência já escrito, ele descartou o mistério caótico do universo e mostrou que tudo, por toda parte, comporta-se de um modo ordeiro, inteiramente compreensível. Era como se todo o universo tivesse sido revelado como as engrenagens de um grande e complexo relógio e as leis de Newton fossem a chave para seu funcionamento. Surpreendentemente, foi mostrado como as leis desenvolvidas com base em experimentos de laboratório aqui na Terra poderiam ser aplicadas por todo o universo.

Fato ainda mais significativo, os *Principia* mostraram como cada movimento pode ser analisado matematicamente – e Newton forneceu as ferramentas para fazê-lo, com os dois ramos da matemática que ele criou, o cálculo diferencial e o cálculo integral. Dispondo-se das leis e da matemática de Newton, tornou-se possível não apenas verificar o que está acontecendo em qualquer movimento, mas também prever o que acontecerá quando, por exemplo, um trem atravessar uma nova ponte ou uma espaçonave for lançada. Newton tornou possível, em teoria, prever o movimento de tudo no universo, da mais grandiosa estrela à mais minúscula molécula.

AS GRANDE LEIS DE NEWTON

A história de que a inspiração para a ideia da gravidade chegou a Newton num dia de verão de 1666, enquanto ele estava sentado pensando no jardim de Woolsthorpe e viu uma maçã cair de uma árvore, é bem conhecida e, hoje, considerada uma simples lenda. O próprio Newton, porém, dizia que o episódio era verdadeiro.

Não está inteiramente claro o que a queda da maçã o fez pensar, mas o real *insight* de Newton foi compreender por que ela caiu. No meio século anterior, Kepler mostrara que os planetas têm órbitas elípticas (ovais), e Galileu, que as coisas aceleram em ritmo constante quando caem em direção ao solo. No entanto, ninguém havia pensado em ligar esses dois eventos e muito menos em mostrar que têm a mesma causa universal.

Newton compreendeu que a maçã não estava apenas caindo, mas sendo puxada por uma força invisível – e mais tarde se perguntou se essa mesma força poderia estar mantendo os planetas em órbita. Assim como a gravidade puxa a maçã para a Terra, a gravidade conserva a Lua em sua órbita em torno da Terra e os planetas em torno do Sol, impedindo que saiam vagando pelo espaço. A partir dessa ideia simples, mas brilhante, Newton desenvolveu a teoria da gravidade, a força universal que tenta juntar toda a matéria. Com provas matemáticas, ele mostrou que essa força deve ser a mesma por toda parte e que a atração entre duas coisas depende de sua massa (a quantidade de material presente nelas) e do quadrado da distância entre elas.

Ao longo dos 20 anos seguintes, Newton refinou sua ideia de gravitação num sistema abrangente que incluía as três grandes leis do movimento. A primeira lei é a da inércia, segundo a qual as coisas continuam a se mover à mesma velocidade em linha reta a menos que algo – uma força – as empurre ou as puxe. Ele aplicou isso ao caso da Lua, mostrando que o satélite tenta avançar em linha reta, mas a gravidade o puxa para uma órbita. A segunda lei diz que o ritmo e a direção de qualquer mudança dependem inteiramente da intensidade da força que a provoca e de quão pesado é o objeto afetado. Se a Lua estivesse mais perto da Terra, a atração da gravidade entre elas seria tão forte que a Lua seria arrastada até se chocar contra a Terra. Se estivesse mais distante, a gravidade seria tão fraca que a Lua voaria pelo espaço. A terceira lei indica que toda ação e reação são iguais e opostas, de modo que, quando duas coisas se chocam, elas recebem da outra uma força das mesmas intensidade e direção, em sentido contrário.

Não é de espantar, então, que, quando as ideias de Newton começaram a ser amplamente compreendidas, ele passou a ser visto com reverência no século XVIII. Como escreveu Alexander Pope num famoso poema satírico: "A natureza e as leis da natureza jaziam escondidas na noite. Deus disse 'Faça-se Newton!' e tudo foi luz".

O JOVEM GÊNIO

Isaac Newton nasceu no Natal de 1642, num pequeno solar de aldeia em Lincolnshire. Ele era prematuro, "tão pequeno que cabia numa panela", e de aspecto tão doentio que não se esperava que sobrevivesse. Viveu, de forma saudável, por 84 anos.

O pai já estava morto quando ele nasceu. Com 18 meses de idade, a mãe, uma viúva pobre, casou-se com um próspero ministro anglicano de uma cidade vizinha e deixou a criança com os avós. Newton jamais se recuperou desse primeiro abandono.

Embora a mãe voltasse para casa para ficar com o filho quando seu segundo marido morreu sete anos depois, Isaac confessou mais tarde que se lembrava de "ameaçar queimar o seu padrasto e a mãe e queimar a casa deles sobre os dois". Ao longo da vida, Newton levou consigo uma raiva reprimida e um ressentimento que fizeram dele um homem muito difícil de lidar.

O introvertido Newton foi para a escola aos 12 anos, mas não mostrou sinais de brilhantismo intelectual até ser perseguido certo dia. Com um acesso de raiva, reagiu lutando até seu oponente, bem maior, se reduzir a uma ruína trêmula. Newton, porém, estava determinado a humilhá-lo seu oponente também na sala de aula. Logo se mostrou profundamente envolvido com as atividades acadêmicas, especialmente a ciência, e espantou a população local, com engenhos como relógios de água feitos à mão.

Newton foi aceito em Cambridge em 1661, aos 19 anos. Por essa época, ele estava tão preocupado em desenvolver sua própria pesquisa que raramente se incomodava com os trabalhos do curso e quase foi reprovado. Contudo, sem que seus professores soubessem, já estava muito à frente deles, desenvolvendo as mais recentes e revolucionárias ideias matemáticas e científicas do gênio francês René Descartes, que apenas começavam a se difundir pela Inglaterra.

O ANO MILAGROSO

Em agosto de 1665, a peste se alastrou pelo sul da Inglaterra. A Universidade de Cambridge foi fechada e Newton partiu para Woolsthorpe, onde permaneceu durante um ano. Esse retiro forçado revelou-se um ano verdadeiramente espantoso. Na paz e tranquilidade de seu lar, ele desenvolveu seu trabalho sobre Descartes para criar a matemática do cálculo, que estuda quão rápido as coisas mudam – algo essencial para compreender a aceleração, que é o modo como as forças trabalham. Newton chamou o cálculo de método dos fluxos. A base era o brilhante recurso de Arquimedes de usar polígonos e retângulos para calcular as áreas de círculos e curvas. O inglês deu um passo gigantesco adiante, ao mostrar como a tangente de qualquer ponto sobre uma curva num gráfico pode revelar uma razão entre tempo contra distância percorrida. Desse modo, a velocidade ou a aceleração em qualquer momento dado pode ser analisada.

À lei da gravidade e à do movimento, suas maiores façanhas, Newton acrescentou uma terceira. Certo dia, ele comprou num mercado um par de prismas de vidro e começou a pesquisar a natureza da luz e das cores. Usando um dos prismas para dividir a luz do dia nas cores do arco-íris, e o outro para recombiná-las em luz branca, mostrou que a luz branca era constituída por todas as cores do arco-íris.

É notável que, das descobertas científicas feitas em Woolsthorpe, essa foi a única que ele revelou quando retornou a Cambridge no ano seguinte. Foi suficiente, porém, para assegurar-lhe uma cátedra de matemática em 1669. Newton permaneceu cheio de segredos por toda a vida, escrevendo muitas resmas com resultados de pesquisas, mas mostrando-os apenas quando era desafiado ou alguém parecia prestes a chegar às mesmas conclusões.

NEWTON E A LUZ

Newton investigando a luz, *ilustração*, William Mouat Loudan, *jornal* The Illustrated London News, *junho de 1870*

Em seu livro *Opticks*, de 1704, Newton sugeriu que um feixe de luz é uma torrente de minúsculas partículas ou "corpúsculos" deslocando-se a enorme velocidade. Isso explicaria por que a luz pode se deslocar no vácuo, onde não há nada para transportá-la. Explicaria também, acreditava ele, por que a luz se move em linha reta e projeta sombras de bordas bem definidas – e é refletida pelos espelhos: as partículas rebateriam como bolas de tênis contra uma parede.

Ele pensou que a curvatura ou "refração" da luz poderia ser causada pelo fato de os corpúsculos se moverem mais rápido no vidro ou na água do que no ar. Aproximadamente na mesma época, o cientista holandês Christiaan Huygens apresentou uma teoria igualmente convincente, mas totalmente contraditória, de que a luz se move em ondas como as ondulações de um lago, e não como partículas. Newton e Huygens começaram um debate que ainda não está completamente resolvido. O pensamento atual sugere que ambos estão certos em ocasiões e em situações distintas.

O CIENTISTA TURBULENTO

Newton levou 30 anos para publicar seu trabalho sobre cálculo, por exemplo. Nesse período, Leibniz havia publicado sua própria versão, descoberta independentemente, dando-lhe o nome de cálculo, que permaneceu. A disputa pela primazia tornou-se tão áspera que a Royal Society conduziu um inquérito para esclarecer a confusão. As furiosas tiradas de Newton contra Leibniz continuaram mesmo após a morte do alemão.

Similarmente, ele só publicou suas ideias sobre gravidade e movimento quando seu único rival científico sério na Inglaterra, Robert Hooke, proclamou em 1684 que havia resolvido o problema do movimento planetário com uma lei do inverso do quadrado que governava o modo como os planetas se moviam. Hooke estava certo sobre a lei do inverso do quadrado, mas não sabia por que ela funcionava e não tinha como prová-la. Foi em sua determinação de colocar Hooke em seu devido lugar que Newton compreendeu que sua ideia da gravidade e as leis do movimento – que até então ele só havia aplicado à Terra – poderiam se aplicar também ao espaço. Ele sentou-se para trabalhar em sua obra-prima, os *Principia*, que terminou 30 meses depois.

A essa altura, Newton já era famoso por um notável telescópio construído em 1668. Os telescópios com lentes estavam ficando bem grandes em sua época. O problema era que, quanto maiores se tornavam, mais sofriam distorções nas bordas da imagem, pois os raios de luz eram curvados através do vidro das lentes. Newton solucionou o problema ao trocar as lentes por espelhos curvos, de modo que os raios de luz não tinham de passar através do vidro, mas simplesmente se refletiam nele. Isso dobrou a quantidade de luz que voltava sobre si mesma, tornando o telescópio muito mais compacto. Um telescópio "newtoniano" podia ter apenas 15 cm de comprimento e ser tão poderoso quanto um telescópio de lente de um metro – e evitava todos os problemas de distorções em suas bordas.

A FAMA

Foi a invenção desse telescópio que fez Newton ser eleito para a prestigiosa Royal Society. Entretanto, logo após sua eleição, ele renunciou depois de um áspero confronto com Robert Hooke acerca de seus textos sobre a pesquisa com prismas, que Hooke criticou erroneamente.

Newton jurou não voltar à Royal Society enquanto Hooke lá estivesse. Foi somente quando o rival morreu, em 1703, que ele retornou como presidente, cargo que ocupou até a morte, em 1723.

Os *Principia*, publicados em 1687, tornaram Newton internacionalmente famoso. Com efeito, ele foi a primeira superestrela científica. Quando ia a Londres para as sessões no Parlamento, ele era festejado por todos, do rei ao grande filósofo John Locke, e rodeado por jovens acólitos. Um deles era um jovem e talentoso matemático suíço chamado Fatio de Duillier. Conta-se que Newton, aos 48 anos, se apaixonou por Fatio. Quando este voltou à Suíça, três anos depois, Newton ficou desolado. Coincidência ou não, a partir daquele momento ele jamais se entregou a qualquer outro trabalho científico. Por algum tempo, ficou cada vez mais recluso, concentrando-se na pesquisa alquímica que considerava tão importante, ou ainda mais, do que sua pesquisa científica.

Em 1696, Newton foi convidado a ingressar na Royal Mint (Casa da Moeda). Ele dedicou-se à tarefa com um zelo fanático, determinado a suprimir as peças falsificadas que então minavam o valor da moeda da Inglaterra. Permaneceu na direção da Royal Mint pelo resto da vida. Após a morte de Hooke, combinou esse cargo com o de presidente da Royal Society, tarefa que executou com o mesmo vigor.

Newton morreu em 20 de março de 1723. Quando foi enterrado com um grandioso funeral na abadia de Westminster, na presença de todos os grandes dignitários da época, uma enorme multidão acorreu para ver o cortejo passar. Voltaire estava visitando Londres na ocasião e escreveu: "A Inglaterra presta homenagem a um matemático como outras nações prestam homenagem a um rei que fez o bem a seus súditos". Era verdade.

NEWTON, O ALQUIMISTA

Principia, de Isaac Newton, a primeira das mais importantes conquistas científicas dos últimos 350 anos, foi o produto de uma ciência que se orgulha da observação, do experimento e de uma lógica honesta e pragmática. No entanto, em alguma medida, Newton foi também o último grande mágico do período medieval. Ele despendeu mais de metade de sua vida pesquisando avidamente a alquimia e a astrologia, passando noite após noite trabalhando em segredo em seu laboratório, tentando transformar metais comuns em ouro, ou debruçado sobre textos antigos em busca de *insights*. Esse trabalho era ainda mais importante para ele do que a sua ciência.

Newton podia estar contente com suas descobertas sobre o funcionamento do mundo físico, mas queria igualmente descobrir a mecânica da vida humana. A maior parte de suas notas sobre o tema foi destruída num incêndio iniciado por seu cão Diamond, de modo que apenas uma fração de seu enorme volume de pesquisas sobrevive – boa parte, totalmente ininteligível para nós. Foi sua aceitação da possibilidade de existirem forças misteriosas no mundo que o levou à ideia de uma força gravitacional invisível – algo que Galileu, dotado de uma mente mais racional, não fora capaz de aceitar.

RENASCENÇA

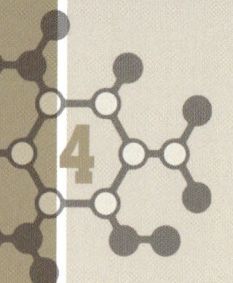

4

Carlos Lineu, óleo sobre tela, Alexander Roslin, 1775

Carlos Lineu
1707-1778

A ORDEM NATURAL

ESSE GRANDE BOTÂNICO DESENVOLVEU O SISTEMA QUE TODOS OS CIENTISTAS USAM HOJE PARA CLASSIFICAR OS SERES VIVOS EM ESPÉCIES E CLASSES COM UM NOME LATINO DE DUAS PARTES

No século XVIII, botânicos e zoólogos apenas começavam a descobrir a incrível diversidade da vida natural no mundo. Alguns passaram a olhar para as plantas e animais à sua volta inspirados pela revolução científica da época. Outros estudavam plantas e animais exóticos, trazidos dos locais distantes que os navios então alcançavam.

Quanto mais olhavam para a "criação", como era comum se referir à natureza, mais confusa sua enorme variedade lhes parecia. Livros sobre animais, ou "bestiários", poderiam começar com "*antelopes*" (antílopes), passando a "*areopathogus*" (um tipo de dinossauro), sem muita lógica.

A primeira grande tentativa de pôr ordem nesse caos foi feita pelo botânico inglês John Ray (1627-1705). Em 1671, ele fez uma longa viagem de coleta de espécimes pela Europa e concebeu um esquema para classificar todas as plantas e animais. Seu *Methodus plantarum* (1682) trouxe a primeira definição de espécie como "um grupo de indivíduos que geram, por meio da reprodução, novos indivíduos similares a si mesmos".

Lineu continuou daí para criar, meio século depois, seu "sistema de natureza" definitivo. Ele não estava só. Em 1799, mais de 50 esquemas haviam sido propostos, mas o de Lineu tinha duas características que garantiram sua sobrevivência. Em primeiro lugar, ele agrupou plantas conforme seus órgãos sexuais – ou seja, as partes envolvidas na reprodução. Depois, deu a cada espécie um nome em latim com duas partes, como *Linnaea borealis*, uma flor típica de regiões pantanosas, batizada em homenagem ao grande botânico. A segunda parte é o nome da espécie, e a primeira sempre se refere ao grupo a que ela pertence. Esse sistema foi tão poderoso e eficiente que foi sendo adotado por botânicos até o final do século e se manteve em uso desde então.

UMA INFÂNCIA SUECA

Carlos Lineu nasceu em 1707 às margens do lago Möckeln, na Suécia. Mais tarde, ele se lembraria: "Quando se senta lá no verão e se ouve o cuco e a canção de todas as outras aves, os silvos e zumbidos dos insetos, quando se olha para as flores brilhantes e alegremente coloridas, fica-se completamente surpreso com a engenhosidade do Criador".

Ainda na escola, um diretor perspicaz sugeriu-lhe que fosse estudar medicina na Universidade de Uppsala. Lá, Lineu foi imediatamente cativado pelas demonstrações feitas pelo botânico Olof Celsius. Seu interesse cresceu tanto que, em 1732, aos 25 anos, foi enviado pela Sociedade Científica de Uppsala para coletar espécimes na Lapônia. Lineu ficou encantado com suas descobertas, que incluíam a pequena flor *Linnaea borealis* (Lineu do Norte), que se tornaria sua marca registrada. Suas descobertas foram publicadas no livro *Flora Lapponica* (1737).

Quando voltou ao sul, Lineu rumou para os Países Baixos a fim de concluir seus estudos médicos. Lá, estudou a incrível gama de plantas no jardim e no herbário do rico banqueiro George Clifford e concebeu um plano para classificar toda a Criação. O esquema básico de Lineu foi rascunhado em um pequeno panfleto chamado *Systema naturae* (Sistema da natureza), que ele publicou na Holanda em 1735. "Nestas poucas páginas," explicava, "lida-se com a grande analogia encontrada entre as plantas e os animais, em classificação crescente, de acordo com seu tipo."

O SEXO DAS PLANTAS

Com a analogia entre plantas e animais, Lineu falava da natureza sexual dos vegetais. Algumas décadas antes, o botânico alemão Rudolph Camerarius (1665-1721) havia mostrado que uma semente não cresceria sem ser polinizada antes. Então, em 1717, o botânico francês Sébastien Vaillant fizera uma palestra sobre a sexualidade das plantas, usando o pistache como exemplo. Lineu desenvolveu essa ideia.

Em 1729, ele escreveu um documento chamado *Sponsalia plantarum*, em que falava do "noivado das plantas" e da "analogia perfeita com os animais". Vaillant falara apenas sobre as pétalas quando discorrera sobre os órgãos sexuais de uma flor; Lineu insistia que eram os estames, onde o pólen era feito (os "noivos"), e os pistilos, em que as sementes são feitas (as "noivas"), os verdadeiros órgãos sexuais.

Tomando a ideia de Ray de que as espécies são basicamente seres vivos que se reproduzem em conjunto, Lineu passou a desenvolver um esquema baseado inteiramente no equipamento sexual das plantas. Ele dividiu todas as plantas que produzem flores em 23 classes, de acordo com o comprimento e quantidade de estames – seus órgãos masculinos –, e as subdividiu em ordens de acordo com o número de pistilos – órgãos femininos – que possuíam. Havia uma 24ª classe, a *Cryptogamia*, que incluía plantas como o musgo, que não pareciam ter flores.

Muitas pessoas se ofenderam bastante com os tons sexuais do esquema de Lineu. Ele deu a uma classe o nome *Diandria*, que significa "dois maridos em um casamento", enquanto dizia que "o cálice pode ser visto como os grandes lábios ou o prepúcio; a corola pode equivaler aos pequenos lábios". Alguns acharam aquilo tão chocante que por quase um século a botânica não foi vista por alguns como um assunto decente para jovens moças.

A grande beleza do esquema de Lineu era que qualquer um, com apenas um pouco de treino, poderia aprender a identificar a que classe uma planta pertencia apenas contando seus estames. Para provar

Escrito por Lineu em 1729, o documento *Praeludia sponsaliorum plantarum*, demonstrava o "noivado das plantas"

sua tese e treinar discípulos, ele organizava animadas excursões de caça a plantas ao redor de Uppsala. Com até 300 jovens, Lineu vagava pelos campos e florestas, coletando espécimes antes de marchar de volta para a cidade acompanhado por uma banda de músicos. Entretanto o reitor da universidade pôs fim a esses passeios, acreditando que distraíam os alunos de seus estudos, dizendo: "Nós, suecos, somos um povo sério e pouco esperto; não podemos, como os outros, unir o prazeroso e divertido com o sério e útil".

Lineu criou o próprio jardim botânico, disposto na mesma ordem de sua classificação. Ele acreditava que todas as espécies de plantas existiam no jardim do Éden original e se espalharam apenas após a queda; então seria um ato de piedade reuni-las todas. Lineu acreditava também que a Suécia poderia alcançar a autossuficiência se todas as plantas valiosas fossem plantadas dentro de suas fronteiras. Para um botânico experiente, é estranho que ele acreditasse que até plantas tropicais poderiam sobreviver ao clima frio do país. Em 1745, Lineu publicou uma enciclopédia completa de plantas suecas chamada *Flora Suecica*. Enquanto trabalhava duramente, ele começava a pensar na nomenclatura das espécies.

O SISTEMA DE DOIS NOMES

Sua solução não ocorreu facilmente. Ele queria nomes que fossem precisos e completos, mas simples o bastante para que os amadores pudessem usá-los. Lineu achava que eles poderiam lembrar o gênero a que uma espécie pertencia, e talvez mais um elemento para identificar a espécie. Isso lhe deu a ideia do sistema de dois nomes, ou "binomial".

Lineu ficou tentado a dar um segundo nome que descrevesse totalmente a espécie, mas depois percebeu que precisava apenas de um rótulo fácil de lembrar para referência futura. Ele resistiu a essa ideia num primeiro momento, dizendo que tais nomes eram "triviais". Então, em 1751, ele voltou a trabalhar em seu grande projeto de catalogar todas as plantas do mundo e decidiu incluir o trivial segundo nome, o que equivalia, segundo ele, a "colocar o badalo no sino".

Percebendo que deveria atribuir os nomes às plantas de uma vez para fazer valer seu sistema, Lineu, em um surto incrível de inventividade, conseguiu dar nome a 5.900 espécies de plantas em pouco mais de um ano, e, em 1753, os publicou todos em seu *Species planetarium*.

Concluído seu trabalho no reino vegetal, Lineu voltou sua atenção ao reino animal. Em *Systema naturae*, de 1735, ele havia usado a classificação "Quadrúpedes" (criaturas de quatro patas), mas agora percebia que uma característica mais importante que as quatro patas era a presença de glândulas mamárias para nutrir os jovens.

Então "Quadrúpedes" foi substituído por "Mamíferos", cujo primeiro ou principal grupo era o dos primatas, que incluíam os humanos, chamados *Homo sapiens* (Homem sábio) por Lineu. Em 1758, ele publicou seu catálogo de animais com nomes binomiais na décima edição do *Systema naturae*.

A essa altura, Lineu tinha muitos alunos, que viajavam por todo o mundo para trazer-lhe amostras, enquanto ele ficava em casa aguardando seu retorno como um pai ansioso. Em 1761, recebeu uma patente real, tornando-o membro na nobreza sueca, e mudou seu nome para Carl von Linné. Três anos depois, um derrame deixou-o muito debilitado, mas ele morreria apenas em 10 de janeiro de 1778.

Lineu deu nome a quase 6 mil espécies de plantas em pouco mais de um ano

Methodus plantarum sexualis in sistemate naturae descripta, ilustração, Georg Dionysius Ehret, 1736

OS APÓSTOLOS DE LINEU

Ao longo das décadas de 1740 e 1750, muitos dos melhores alunos de Lineu viajavam pelo mundo para investigar e trazer plantas de terras distantes. Esses "apóstolos", como Lineu os chamava, por vezes tinham missões perigosas, e cinco deles – Anders Berlin, Pehr Forsskål, Fredrik Hasselqvist, Pehr Löfling e Christopher Tärnström – nunca voltaram.

A viagem de Peter Kalm à América do Norte rendeu a Lineu 90 espécies de plantas daquele continente, 60 delas completamente novas. Peter Osbeck trouxe 600 espécimes da China. Carl Thunberg descreveu mais de 3 mil espécies no Japão, mais de mil delas até então completamente desconhecidas. Solander se juntou ao capitão Cook no *Endeavour* em sua viagem ao redor do mundo e deu nomes a 1.200 novas espécies e 100 novos gêneros de plantas, além de diversos animais.

À época da morte de Lineu, era normal que expedições ao redor do mundo incluíssem um botânico, culminando, é claro, na famosa viagem de Charles Darwin a bordo do *Beagle*. As riquezas que encontraram aumentaram imensuravelmente o conhecimento científico.

Retrato de James Hutton, *óleo sobre tela*, Henry Raeburn, c. 1787

James Hutton

1726–1797

A VERDADE NAS PEDRAS

ESSE BRILHANTE GEÓLOGO ESCOCÊS REVELOU A NATUREZA ANTIGA DA TERRA E O PROCESSO LONGO E GRADATIVO QUE DÁ FORMA A SUAS PAISAGENS

Achamos tão óbvio hoje que o mundo é antiquíssimo e foi esculpido por processos geológicos ao longo de milhões de anos que é difícil acreditar que no século XVIII, em plena era do Iluminismo, a maior parte das pessoas ainda acreditava que a Terra não fosse muito mais velha que a história humana. Para muitos, a verdade sobre a idade da Terra não estava nas rochas e paisagens, mas na Bíblia. Em 1650, o arcebispo irlandês James Ussher estabeleceu uma data oficial. Depois de ter estudado a Bíblia, ele concluiu que o mundo começou no domingo, 23 de outubro de 4004 a.C e mudara muito pouco desde então, exceto talvez durante o período do dilúvio, a enchente bíblica, que ele posicionou em 2349 a.C. E o grande Isaac Newton concordou!

A revelação de Copérnico de que a Terra não está no centro do universo ainda estava sendo assimilada, e os pensadores apenas começavam a questionar essa visão do mundo. Eles viam que muitas rochas foram formadas por sedimentos e estavam cheias de fósseis de criaturas marinhas, no entanto não tinham ideia de como os sedimentos chegaram a formar montanhas ou como os fósseis foram parar lá.

A ideia mais aceita no século XVIII era que tudo fora resultado de uma única grande catástrofe que moldara o mundo rapidamente, de uma única vez. O grande geólogo alemão Abraham Gottlieb Werner propôs a teoria de que essa catástrofe havia sido uma enchente. A maior parte das rochas, sugeriu, se formara em um oceano universal que cobria inteiramente a Terra e assentara na forma das paisagens que vemos hoje quando as águas do oceano se esvaíram. É claro que muitos viam o dilúvio bíblico no oceano universal de Werner. A grande contribuição de Hutton foi mostrar que essa ideia estava errada em dois aspectos importantes. Antes de tudo, ele percebeu que não havia sido água de enchente que formara muitas rochas e montanhas, mas o calor interno da Terra. Depois, as paisagens não foram esculpidas definitivamente em alguma grande catástrofe, mas lenta e continuamente por incontáveis ciclos de erosão, sedimentação e elevação que se repetem por períodos incrivelmente longos. Então, a Terra deveria ser muito, muito antiga – não de apenas milhares, mas de milhões de anos. Hutton nunca afirmou qual idade acreditava que o mundo tivesse, mas a implicação era clara.

James Hutton, filho mais velho de Sarah e William Hutton, nasceu em Edimburgo, em junho de 1726. William morreu apenas dois anos depois. Na Universidade de Edimburgo, Hutton foi apresentado às ideias de Newton – notadamente os ciclos dos planetas –, que tiveram marcante influência sobre ele.

Hutton foi apresentado também à tese do deísmo – a ideia de um deus que planejou e criou o universo como uma máquina perfeita, que passou a funcionar sozinha. Essa perspectiva o ajudou a ver que a ideia de uma Terra antiga não conflitava com a crença em Deus.

Quando deixou a universidade, em 1745, Hutton foi para uma escola de medicina. Esse foi o mesmo ano em que Charles Stuart liderou a última rebelião escocesa. Sem dúvida, a nata de Edimburgo desaprovava a brutalidade com que os revoltosos foram tratados após a fuga de "Charlie" para o exílio, mas ela liberou a cidade para florescer de modo surpreendente. Novas ruas elegantes foram abertas e viam-se os primórdios de uma era de ouro intelectual para a chamada "Atenas do Norte".

DOUTOR HUTTON, FAZENDEIRO

O jovem Hutton foi forçado a deixar a cidade após ter engravidado uma jovem serva. Ele foi para Paris e lá estudou medicina por cinco anos, indo completar sua educação médica em Leyden, na Holanda. Estranhamente, no entanto, ele nem por um momento parece ter pensado em ser médico. Em 1750, se associou a um velho amigo de Edimburgo para fazer sal amoníaco, um ingrediente importante na produção de aço, o que lhe proporcionaria certa renda por toda a vida. Então, naquela década, herdou a fazenda da família no sul da cidade e decidiu tornar-se fazendeiro. Aprendeu tudo sobre as técnicas mais modernas de agricultura e logo transformou Slighhouses em uma das fazendas mais inovadoras e prósperas da Escócia.

O interesse de Hutton pela Terra parece ter começado enquanto aprendia sobre agricultura. Ele viajou muito pela Inglaterra, estudando a paisagem e as rochas, trazendo amostra após amostra de rochas e minerais para casa – algo inusitado naqueles dias – e parece ter logo se tornado conhecido por seus conhecimentos sobre elas. Ver a terra em sua fazenda mudar ano após ano, com o solo lavado pelas chuvas de inverno apenas para ser reposto ao longo dos anos com a erosão das rochas, pode ter sido a inspiração para a visão de Hutton sobre infindáveis ciclos de erosão e renovação. No início da década de 1760, suas ideias já estavam parcialmente formadas.

Com a fazenda bem estabelecida, Hutton voltou a Edimburgo em 1770 e se tornou amigo de, entre outras grandes mentes, David Hume, Adam Smith, James Watt – que tornou prático o motor a vapor – e Joseph Black – que descobriu o dióxido de carbono. Black e Watt estavam entre os mais próximos amigos e apoiadores de Hutton.

O principal problema da geologia na época era: como todos os diferentes minerais que compõem as rochas se formaram? A maior parte dos mineralogistas acreditava que eles tivessem se sedimentado no oceano universal. Se fosse assim, porém, toda substância encontrada nas rochas deveria ser solúvel em água. Claramente, não era o caso. Hutton percebeu que, em vez da água, era o calor de dentro da Terra que estava envolvido na mineralização – e não apenas o calor, mas ele e as pressões extremas que se encontram somente nas profundezas da Terra.

INDO A PÚBLICO

As ideias de Hutton começaram a se cristalizar e, em 1785, ele decidiu apresentá-las à Real Society de Edimburgo. Talvez sofrendo de timidez em público, ele pediu a Black que lesse seu artigo. Algumas pessoas se convenceram imediatamente da significância de suas ideias, enquanto outras argumentaram que não havia provas.

Hutton se obstinou em encontrar as provas necessárias e foi com um amigo, *sir* John Clerk, para as Highlands a fim de encontrá-las. Ele tinha especial interesse no granito, uma rocha "ígnea" que se forma do magma derretido. Hutton queria mostrar que o afloramento do granito pode se formar depois e não antes dos sedimentos que o cercam. Se fosse o caso, não poderia ser verdadeira a noção de que todos

Nas rochas de Siccar Point, na Escócia, Hutton observou o fenômeno da discordância

os sedimentos se formaram pelo oceano universal e foram simplesmente depositados sobre a rocha ígnea primitiva. Em 1788, eles obtiveram a prova visual que ele buscava em Glen Tilt, nos montes Grampianos, no centro da Escócia, onde veios de granito haviam sido claramente injetados nas rochas ao redor. Hutton levou John Playfair e James Hall a Siccar Point para mostrar-lhes a discordância. Ele tinha a prova de que precisava.

Entretanto, se Playfair e Hall se convenceram, outros nem tanto. Hutton conseguia lidar com aqueles que se guiavam pela ciência. Em 1793, porém, um grande acadêmico irlandês chamado Richard Kirwan sugeriu que aquelas teorias eram blasfemas.

Hutton estava determinado a responder, mas naquele ano adoeceu seriamente, talvez com falência renal. Ele começou a escrever um livro chamado *Teoria da Terra*, mas não conseguiu escrever o último dos três volumes. Quando morreu, em 1797, seu livro bagunçado, muito menos claro que suas publicações anteriores, teve pouco impacto.

Playfair e Hall abraçaram sua causa: o primeiro escreveu um sumário simples de suas ideias, e o segundo conduziu experimentos em laboratório para mostrar que rochas ígneas poderiam formar cristais minerais por meio do resfriamento lento. Ainda assim, 35 anos se passariam até que Charles Lyell escrevesse seu famoso livro *Princípios da geologia*, que fez das ideias de Hutton a fundação da geologia moderna e deu a Charles Darwin a inspiração para a teoria da evolução.

DISCORDÂNCIA

No verão de 1788, Hutton levou John Playfair e James Hall em um barco a remo ao longo da costa do mar do Norte até Siccar Point. Playfair descreveria mais tarde a experiência: "Por nós, que vimos esse fenômeno pela primeira vez, a impressão não será facilmente esquecida (…). Costumávamos dizer: 'Que evidência mais clara poderíamos ter visto da formação diferente dessas rochas, e do longo intervalo que separou sua formação?'. Foi como se efetivamente as tivéssemos visto emergindo do seio das profundezas".

O que viram foi uma discordância. Na face da montanha, havia camada sobre camada de rocha, dispostas, não deitadas, mas em pé, como livros em uma estante. Então, cortando-as quase horizontalmente, havia mais camadas de rochas, dessa vez quase deitadas. Esse corte de través era a discordância. Era claro, como Hutton explicou, que as camadas verticais estavam originalmente na horizontal como sedimentos, posteriormente foram inclinadas e elevadas. A erosão depositara mais sedimentos sobre essas camadas; depois novos sedimentos se assentaram e formaram as camadas horizontais, que, por sua vez, foram pressionadas para cima para formar o topo da escarpa. Playfair e Hall se tornaram na mesma hora os defensores mais inflamados de Hutton.

Retrato de Antoine-Laurent de Lavoisier, gravura, Pierre Michel Alix,

Antoine Lavoisier
O PAI DA QUÍMICA

1743-94

ELE FEZ A PRIMEIRA LISTA DOS ELEMENTOS, ESTABELECEU A NOÇÃO DE CONSERVAÇÃO DE MASSA E DESCOBRIU A VERDADEIRA NATUREZA DA COMBUSTÃO E O PAPEL DO OXIGÊNIO

Graças a Newton e Galileu, os cientistas do século XVIII sabiam bastante sobre como e por que as coisas se movem, mas pouco sobre do que elas são feitas. A química ainda era intimamente ligada à busca dos que os alquimistas chamavam de pedra filosofal, que transformaria metais comuns e "inferiores" em ouro. A ideia de elementos químicos ainda estava na infância e a maior parte dos cientistas acreditava, como os gregos, que havia apenas quatro elementos – ar, água, terra e fogo.

Foi um alquimista alemão, Georg Stahl, que desenvolveu uma teoria para explicar como as coisas queimam, que dominaria o debate científico por meio século. Ele sugeriu que qualquer coisa combustível contivesse uma substância "ativa" especial, chamada flogisto, que se dissolveria no ar quando queimada.

Gradualmente, o debate sobre a natureza da matéria passou a ser feito a partir de uma abordagem mais concreta, baseada em experimentação, observação e provas. O grande pioneiro desses métodos foi, sem dúvida, Lavoisier.

Apesar de ter se beneficiado do trabalho de muitos químicos, sobretudo os britânicos e, particularmente, Priestley, foi Lavoisier quem juntou tudo – e fez muitos avanços significativos por si mesmo. Foi ele, por exemplo, que percebeu que toda substância pode existir em três estados ou fases – sólido, líquido e gás. E, ao sugerir que o gás é uma substância, abriu caminho para a ideia de que o ar não apenas tem massa, mas poderia ser uma mistura de gases. Foi Lavoisier quem mostrou que o ar é uma mistura de dois gases principais – oxigênio e nitrogênio (que ele chamou de azoto). Foi ele, também, que, com outros, mostrou que a água é um composto de dois gases, hidrogênio e oxigênio. E, finalmente, foi Lavoisier quem provou que a teoria do flogisto estava errada e concebeu a teoria moderna da combustão.

Lavoisier era um experimentador meticuloso que defendia a noção de medição exata e a ideia da conservação de massa, que diz que não importa como as substâncias mudem em uma experiência, nunca há perda de massa. Essa percepção crucial não apenas o ajudou a provar a verdadeira natureza da combustão, mas ainda baliza todos os experimentos com matéria até hoje. Em seu famoso *Tratado elementar de química*, em que explica claramente pela primeira vez como os compostos são formados a partir de elementos, escreveu: "Não devemos acreditar em nada além de fatos. Eles nos são apresentados pela natureza e não enganam. Devemos, em todas as instâncias, submeter nosso raciocínio ao teste da experiência"

O JOVEM ADVOGADO

Filho mais velho de um advogado, Jean-Antoine Lavoisier, e de Émilie Punctis, Antoine Lavoisier nasceu em Paris, em 26 de agosto de 1743. Sua mãe morreu quando ele tinha 3 anos e ele foi criado por sua adorada tia Clémence Punctis. A família Punctis era muito rica, então o jovem Antoine teve todo o conforto, indo para o Collège Mazarin, de elite, onde estudou ciências e direito. Em seu tempo livre, assistia a palestras sobre química.

Quando Lavoisier se formou advogado, em 1763, acompanhou o geólogo Jean-Étienne Guettard em uma viagem pela França, catalogando minerais. Em 1765, usando seu recém-adquirido conhecimento de química e mineralogia, apresentou um relatório à Academia de Ciências de Paris sobre a natureza da gipsita, usada para fazer gesso. Sua aceitação na Academia no ano seguinte, com apenas 23 anos, se deveu em parte a um ensaio brilhante sobre como iluminar as ruas de Paris. Foi por volta dessa época que ele recebeu uma grande herança da mãe e a usou para entrar em uma companhia chamada Ferme Générele, que detinha a permissão governamental para coletar impostos. Isso o deixaria rico, mas também levaria à sua queda.

A Ferme deu a Lavoisier sua esposa, Marie-Anne-Pierrette Paulze, linda filha de 13 anos de outro sócio da companhia. Apesar da diferença de idade – Lavoisier tinha quase 30 anos –, o casamento acabou sendo feliz. Marie-Anne não apenas ajudava o marido no laboratório, como tinha aulas de desenho com o famoso pintor Jacques-Louis David para poder ilustrar seu trabalho, e aprendeu inglês para traduzir estudos dos químicos ingleses para ele.

A esposa, Marie-Anne, aprendeu inglês para traduzir estudos e desenho para ilustrar os trabalhos de Lavoisier

Retrato do senhor Lavoisier e sua esposa, *óleo sobre tela, Jacques Louis David, 1788*

LAVOISIER NO LABORATÓRIO

A riqueza de Lavoisier lhe permitiu construir o laboratório químico mais bem equipado da época, e ele começou a conduzir uma série de experimentos importantes. Primeiro, testou a teoria do flogisto. Após ter testado a queima de enxofre, fósforo e outros elementos, sugeriu uma nova teoria: quando as coisas queimam, não liberam flogisto, mas absorvem ar. Era um passo significativo, e ele decidiu investigar as descobertas dos cientistas ingleses com as várias substâncias no ar.

O laboratório químico de Lavoisier era o mais equipado da época

Lavoisier em seu laboratório: experiência sobre a respiração humana em repouso, gravura, *Édouard Grimaux, 1888*

Em 1774, o inglês Joseph Priestley observou o que o calor forte poderia fazer com o óxido mercúrico. Ele percebeu que o composto liberava um gás que, para sua surpresa, fazia uma vela queimar com uma chama mais forte que o normal. Em visita a Paris, encontrou Lavoisier e contou-lhe sobre o fenômeno. O francês imediatamente fez uma série de experimentos com o gás e com ar, descobrindo que o ar é composto por dois gases: primeiro, o gás de Priestley, envolvido na combustão, que Lavoisier denominou oxigênio, e depois o gás que veio a ser chamado de nitrogênio, que ele batizou de azoto. Lavoisier cunhou erroneamente do grego a palavra "oxigênio" – "formador de ácido" –, o que o elemento, em verdade, não é.

Ainda mais importante, Lavoisier mostrou que a combustão está intimamente ligada à respiração, e que ambas envolvem o oxigênio. Nossos pulmões absorvem do ar o oxigênio de que necessitamos do ar e expelem dióxido de carbono. Ele mostrou também que o oxigênio reage com metais para formar óxidos, no processo chamado oxidação.

Não satisfeito, ele passou a experimentar com a água. Priestley e outros cientistas britânicos já haviam percebido que oxigênio e hidrogênio poderiam ser condensados quando uma centelha elétrica os juntava. Lavoisier identificou a condensação como sendo água e mostrou que ela era criada juntando-se oxigênio e hidrogênio. Ele estava determinado a mostrar que estava estabelecendo um novo campo da ciência, a química experimental. Primeiramente, em 1787, publicou um método para dar nome aos elementos químicos de acordo com suas propriedades, e o sistema de símbolos que serviriam como abreviações que os químicos usam até hoje. Depois, escreveu um grande sumário do campo em seu *Tratado elementar de química*, de 1789.

CIÊNCIA SOCIAL E REVOLUÇÃO

Lavoisier se preocupava também com projetos mais práticos. Ele conduziu uma série de estudos e compilou mais de 200 relatos separados sobre uma vasta gama de assuntos, incluindo adulteração de alimentos, como os pigmentos funcionam, como a água poderia ser armazenada a bordo de navios, como o vidro poderia ser melhorado, como as prisões poderiam ser mais eficientes e muitos outros. Ele abordou cada uma dessas questões com o mesmo detalhamento e visão que usava no trabalho de laboratório, e conseguiu melhorias genuínas em várias áreas.

Tudo isso, entretanto, não o ajudaria com o advento da revolução. No Terror, em 1793, os revolucionários decidiram que era hora de acertar velhas contas – particularmente com aqueles que haviam lucrado com o Velho Regime, como os impopulares cobradores. Lavoisier foi julgado e, quando suas conquistas científicas foram trazidas à atenção do juiz, este teria respondido: "A República não precisa de cientistas". Lavoisier foi guilhotinado em 8 de maio de 1794.

John Dalton, *gravura em linho*, W. H. Worthington, 1823

John Dalton
1766–1844

A MATÉRIA DESVENDADA

O QUÍMICO DE MODOS SIMPLES ESTABELECEU A TEORIA MODERNA DOS ÁTOMOS E ELEMENTOS, PAVIMENTANDO O CAMINHO PARA UMA VASTA GAMA DE CONQUISTAS CIENTÍFICAS

A ideia de átomos não era, de forma alguma, nova no século XVIII. Na verdade, ela já tinha bem mais de 2 mil anos. O grande pensador grego Aristóteles, por exemplo, pensava que, em tese, a matéria poderia ser cortada em pedaços cada vez menores, mas outros gregos, notadamente Demócrito (460-400 a.C), argumentavam que a matéria era feita de pequenas partículas com espaço vazio entre elas, como os cientistas acreditam hoje. Essas partículas seriam os menores pedaços de matéria possíveis; por isso, Demócrito os chamou de "átomos", – "indivisível" em grego.

A visão de Aristóteles se mostrou mais convincente. Assim como sua ideia de que o mundo era feito apenas de quatro elementos básicos – terra, água, ar e fogo. Até hoje, os cientistas acreditam que a matéria existe em quatro estados – sólido, líquido, gás e plasma –, o que, de alguma forma, corresponde aos quatro elementos de Aristóteles.

Então, no século XVII, os cientistas começaram a questionar a visão aristotélica da matéria. O irlandês Robert Boyle (1627-1691) sugeriu que havia substâncias puras básicas que poderiam se combinar para formar compostos. Segundo ele, cada um desses elementos "químicos" tinha características únicas e poderia existir como sólido, líquido ou gás. Boyle sugeriu até que a matéria poderia consistir em átomos, afinal de contas.

A visão aristotélica da matéria continuou sendo minada à medida que experiências começaram a

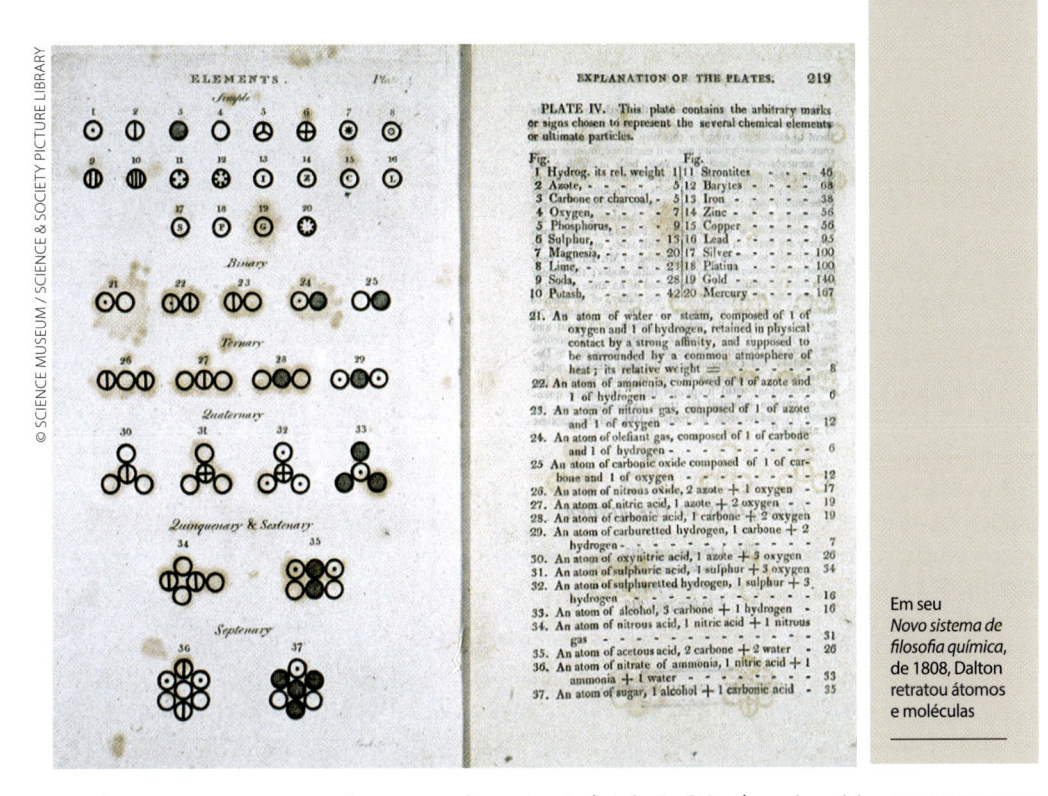

Em seu *Novo sistema de filosofia química*, de 1808, Dalton retratou átomos e moléculas

revelar que nem o ar nem a água eram elementos indivisíveis. Priestley e Lavoisier mostraram que o ar é uma mistura de gases, incluindo oxigênio e nitrogênio. Então, o francês mostrou que a água também é um composto, de hidrogênio e oxigênio. Ele chegou a fazer uma lista de uma dúzia de elementos químicos básicos, incluindo os recém-descobertos componentes do ar e da água. Após mais de 2 mil anos, a ideia atômica finalmente começava a ganhar credibilidade. Ainda assim, ninguém sabia o que eram os elementos – e ninguém tinha pensado em ligá-los aos átomos de nenhuma forma. Imaginava-se, por exemplo, que se a matéria, incluindo o ar, fosse feita de átomos, todos os átomos deveriam ser idênticos. A grande sacada de John Dalton foi ver que os átomos de cada um dos gases do ar poderiam ser diferentes. Depois, ele unificou todo o progresso do século anterior na teoria atômica dos elementos, que sustenta a ciência hoje.

Dalton sugeriu que todos os átomos de um elemento são idênticos – mas diferentes dos de todos os outros elementos. Ele argumentou também que os compostos eram formados pela ligação entre um átomo de um elemento e um átomo de outro. Apesar de as teorias dos elementos e dos compostos terem evoluído, a essência de suas ideias permanece.

INFÂNCIA NOS LAGOS

John Dalton nasceu em 5 ou 6 de setembro de 1766, em Cockermouth, no Lake District inglês, em uma família de mercadores quacres. Ele era tão inteligente que foi nomeado professor em sua escola local aos 12 anos e um parente quacre, Elihu Robinson, foi seu tutor em ciências.

Em 1781, aos 15 anos, ele foi lecionar em um internato em Kendal. Lá, foi apresentado à matemática e às ciências naturais pelo notável filósofo cego John Gough, que é descrito pelo poeta William Wordsworth no poema *A excursão*. Encorajado por Gough e pelo clima impressionante do Lake District, Dalton começou a fazer observações meteorológicas.

Pelos 15 anos seguintes, ele manteve um diário meteorológico em que registrou mais de 200 mil observações. Seu interesse pelo clima durou a vida toda, e suas observações eram revolucionárias. De fato, alguns acreditam que ele deva ser chamado de "pai da meteorologia", assim como "pai da química".

Dalton sempre foi parcimonioso na crença em ideias alheias e dizia acreditar apenas no que observava por si mesmo. "Tendo sido desencaminhado tantas vezes de meu progresso pela crença nos resultados dos outros", escreveu, "determinei escrever o mínimo possível além do que eu puder atestar pela minha própria experiência."

Ao longo dos anos, esse cético altamente perspicaz escreveu ensaios importantes sobre o barômetro, o termômetro, o higrômetro, precipitações, formação das nuvens, evaporação e muito mais. Dalton foi o primeiro a perceber que a umidade atmosférica se transforma em chuva não como resultado de mudanças de pressão, mas por causa das reduções de temperatura, que diminuem a capacidade do ar de reter o vapor d'água.

Em 1788, após ter presenciado uma espetacular aurora boreal, ele chegou à notável previsão de que era causada pelo magnetismo da Terra. Dalton – sem saber que George Hadley havia sugerido a mesma coisa – chegou à correta conclusão de que os ventos alísios eram causados por uma combinação de variação de temperaturas regionais com a rotação da Terra.

DALTONISMO

Dalton ficou fascinado também com uma condição que ele e o irmão tinham – o daltonismo. Ele foi o primeiro a estudá-la cientificamente – daí o nome. O daltonismo foi o assunto de seu primeiro artigo, intitulado "Fatos extraordinários relacionados à visão das cores" (1791).

Dalton pediu que, quando morresse, seus olhos fossem examinados, pois acreditava que o problema fosse na coloração azul do fluido deles. O exame necroscópico mostrou que o fluido era inteiramente normal. Nos anos 1990, porém, exames de DNA feitos em seus olhos, que haviam sido preservados pela Royal Institution por 150 anos, mostraram que faltava neles o pigmento necessário para a sensibilidade à cor verde.

UM MUNDO DE PARTÍCULAS

Dalton contribuiu com centenas de outros artigos para a Manchester Society. Talvez o mais importante deles tenha sido apresentado no início da década de 1800. Àquela época, Dalton custeava seus estudos científicos dando tutoria particular aos filhos da classe média ascendente. O tempo extra que isso rendia lhe permitiu desenvolver sua teoria atômica da matéria *(veja quadro na página)*. Ele argumentava que os elementos então conhecidos, incluindo hidrogênio, oxigênio e nitrogênio, são compostos de átomos – isso é, "partículas sólidas, massivas, duras, impenetráveis e móveis".

Era o conceito-chave que os químicos estavam buscando – compreender o que, exatamente, eram os elementos e por que eles se combinavam da forma que se combinavam. As implicações da teoria foram aceitas com surpreendente rapidez e se tornaram o foco da maior parte da pesquisa científica.

Com o estabelecimento da teoria atômica, a reputação científica de Dalton tornou-se imensa, mas ainda assim ele permaneceu um homem solitário, com escassa vida social, vivendo quase recluso. Suas necessidades sempre foram simples, e ele se vestia no sóbrio estilo quacre.

Em 1810, seus feitos científicos foram reconhecidos com um convite para a Royal Society. Tímido e sem dinheiro, ele recusou a oferta, mas em 1822 a instituição o elegeu como membro e pagou sua taxa de inscrição. A Academia Francesa de Ciências fez dele seu único membro estrangeiro permitido.

Dalton viveu seus últimos anos em silêncio. Em sua independência obstinada, ele se recusava a aceitar os avanços feitos na ciência – e correções valiosas às suas ideias – nos anos posteriores ao anúncio da teoria atômica. Ainda assim, o respeito e a afeição que lhe eram dedicados ficaram claros quando ele morreu de derrame, aos 78 anos. A população de Manchester lhe deu o que se poderia chamar funeral de Estado, do qual participaram 40 mil pessoas.

Aristóteles: a visão do filósofo acerca da matéria foi questionada por cientistas como John Dalton

Busto de Aristóteles, mármore, cópia do original de bronze de Lisipo, c. séc. II a.C.

A TEORIA ATÔMICA DE DALTON

O primeiro dos artigos em que Dalton desenvolveu a teoria atômica defendia a tese de que o ar é uma mistura de gases diferentes, não um composto deles, como a água. Em seus experimentos, ele observou que o oxigênio puro não absorve tanto vapor d'água quanto o nitrogênio puro – e chegou por intuição à incrível conclusão de que era porque os átomos de oxigênio eram maiores e mais pesados. "Por que a água não penetra da mesma forma em todos os gases?", escreveu. "Considerei devidamente tal questão e, apesar de não poder me dar por completamente satisfeito, estou quase convencido de que a circunstância depende do peso e do número das partículas finais dos vários gases."

Em um artigo lido à Manchester Society, de 21 de outubro de 1803, Dalton descreveu como chegara a diferentes pesos para as unidades básicas de cada gás elementar – em outras palavras, o peso de seus átomos, ou peso atômico. Ele passou a discorrer que os átomos de cada elemento se combinavam para formar compostos em razões muito simples; então o peso de cada átomo poderia ser calculado a partir do peso de cada elemento envolvido em um composto, uma ideia que posteriormente seria chamada lei das múltiplas proporções.

A teoria atômica de Dalton foi construída sobre o trabalho de muitos outros. No entanto, não há dúvidas de que foi ele quem juntou tudo e trouxe o átomo para o centro da ciência. Como disse seu biógrafo Frank Greenway, com a teoria atômica de Dalton "fizemos novos materiais, utilizamos novas fontes de energia, derrotamos uma doença após a outra, e chegamos a vislumbrar o mecanismo da vida".

SÉCULO XIX

Michael Faraday
1791–1867

O DOMÍNIO DA ELETRICIDADE

ELE ERA UM GRANDE CIENTISTA EXPERIMENTAL — TALVEZ O MAIOR DE TODOS OS TEMPOS — E UM TEÓRICO VISIONÁRIO QUE COMPREENDEU QUE TODAS AS FORÇAS DA NATUREZA ESTÃO INTERCONECTADAS

Quando Michael Faraday nasceu, a eletricidade estava na ordem do dia. Cientistas e artistas mambembes produziam faíscas impressionantes, girando uma roda para que ela criasse atrito entre vidro e enxofre e assim gerasse eletricidade estática. Luigi Galvani (1737-1798), um anatomista italiano, usava a eletricidade para fazer as pernas de rãs mortas se contraírem.

Galvani acreditava ter descoberto a força vital, a "eletricidade animal", que daria vida a um corpo de carne e osso. Não demorou para que dezenas de cientistas tentassem ressuscitar cadáveres, eletrificando-os – espetáculo bem capturado no Frankenstein de Mary Shelley. Essa ideia de eletricidade como produtora de vida inspirou uma multidão de cientistas fanáticos – como Andrew Ure, que, em uma exibição abominável em 1818, fez o cadáver de Matthew Clydesdale, um assassino de Glasgow que havia sido executado, dançar como uma marionete. Em 1836, Andrew Crosse alegou ter criado, com a eletricidade, insetos chamados *acari*. Contudo, enquanto muitos eram tomados por essa histeria em torno da eletricidade, avanços importantes eram feitos por cientistas experimentais para compreender a verdadeira natureza dessa energia.

Michael Faraday com seus equipamentos: criador do motor e do gerador elétrico

No final dos anos 1790, por exemplo, Alessandro Volta percebeu que a eletricidade podia ser gerada por meio de uma reação química e, em 1800, ele lançou mão dessa ideia para criar a primeira bateria. Usando a bateria, diversos cientistas descobriram que a eletricidade fluiria por uma volta completa, ou circuito. André Ampère estudou a força das correntes, e Georg Ohm desvendou a natureza da "resistência" elétrica.

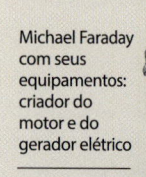

Em 1820, o dinamarquês Hans Oersted descobriu que uma corrente elétrica poderia fazer girar a agulha de uma bússola magnética. Essa foi a primeira pista de uma ligação entre duas forças da natureza e logo se tornou o principal objeto de experimentação dos cientistas. Faraday foi apenas um entre tantos que tentaram desvendar os segredos da eletricidade e do magnetismo nos anos 1820 e 1830. Entretanto, seu trabalho experimental extraordinariamente inventivo e meticuloso o colocou na vanguarda. Poucos meses depois de ter sabido do achado de Oersted, Faraday construiu um modelo engenhoso que demonstrava como um ímã se movia em círculos ao redor de um fio elétrico, bem como um fio elétrico se movia em círculos ao redor de um ímã. Ele havia descoberto o princípio do motor elétrico.

Dez anos depois, Faraday fez um achado ainda mais importante ao notar que a movimentação de um campo magnético poderia criar ou "induzir" uma corrente de eletricidade. Esse princípio de indução eletromagnética, descoberto de maneira independente por Joseph Henry nos EUA na mesma época, indicava que seria possível construir máquinas que gerassem enormes quantidades de eletricidade, abrindo caminho para uma infinidade de inventos que iriam da iluminação elétrica às telecomunicações. Todavia, nem o motor elétrico nem o princípio da indução eletromagnética podem ser considerados as maiores conquistas de Faraday. Ele avançou em suas pesquisas, não apenas demonstrando o princípio da eletrólise – isto é, a forma pela qual compostos químicos podem ser quebrados utilizando eletricidade –, mas também evidenciando a máxima harmonia entre todas as forças, incluindo eletricidade, magnetismo, luz e mesmo gravidade, e desenvolvendo a ideia de campos de força *(veja quadro na próxima página)*. Esse conhecimento foi crucial para embasar toda a física moderna e uma infinidade de novas tecnologias, desde a televisão até os telefones celulares.

GAROTO POBRE

Quando Faraday nasceu, ciência era assunto para ricos. Sua história é frequentemente apresentada como o conto de um homem que, do nada, alcançou a riqueza, o arquétipo do sucesso construído por conta própria. Faraday cresceu em um distrito pobre de Londres. Seu pai era um ferreiro inválido. Ele se recordava que, em dada época, eram frequentes as semanas em que se alimentavam apenas de pão. Ele teve, no entanto, sorte ao ser admitido como aprendiz de mensageiro na livraria de George Riebau aos 13 anos.

Na loja, aprendeu a encadernar livros e a lê-los avidamente – especialmente os de ciência. Depois, ele escreveria: "Quando jovem, eu era uma pessoa de imaginação muito viva, que acreditaria nas *Mil e uma noites* tão facilmente quanto na *Enciclopédia*, mas fatos eram importantes para mim, e me salvaram". Seu empregador deixou que ele instalasse seu próprio laboratório improvisado na encadernação.

Por um golpe de sorte, William Dance, um dos fregueses de Riebau, era membro da Royal Institution, a principal organização científica da época. Ao saber do interesse do jovem Faraday, Dance deu a ele ingressos para as célebres apresentações do cientista *sir* Humphry Davy na Institution. Aquela era uma oportunidade única e ele a agarrou firmemente. Faraday fez anotações ávidas nas palestras, registrou-as de forma meticulosa, com ilustrações, e enviou uma cópia encadernada delas ao próprio Davy.

Impressionado, o cientista empregou Faraday, então com 21 anos, como seu assistente na Institution e, quando partiu para uma excursão pela Europa no ano seguinte, ele levou o jovem consigo e apresentou-o a muitos dos cientistas mais importantes do mundo, incluindo Ampère, Volta e Gay-Lussac. Faraday foi sendo instruído pelas mentes mais brilhantes de seu tempo – e isso teve grandes resultados. Logo ele começaria a conduzir os próprios experimentos.

Em 1821, após as constatações de Oersted, a Royal Institution pediu que Faraday fizesse um levantamento das últimas pesquisas sobre eletricidade. O jovem cientista não apenas o fez como realizou a primeira demonstração do princípio do motor elétrico. Afirma-se que Davy teria se aborrecido por seu aprendiz não lhe ter dado crédito por isso.

Faraday estava ansioso e ciente da necessidade de apresentar suas descobertas. Então, ele contratou o renomado professor de oratória Benjamin Smart para ensiná-lo a se apresentar bem diante do público. Em 1826, ele iniciou sua famosa série de palestras, as quais chamou de *Friday Evening Discourses* (Apresentações de sexta à noite). Ele as preparou de forma minuciosa, com demonstrações e experimentos incrivelmente convincentes, e elas tornaram-se muito populares. Na mais espetacular de todas, Faraday colocou-se dentro de uma gaiola metálica enquanto enormes descargas elétricas eram lançadas em seu exterior. Ainda mais bem-sucedidas foram suas Palestras de Natal para crianças, tradição ainda mantida pela Institution.

Em 1830, Faraday já se estabelecera firmemente na Royal Institution. Seu laboratório ficava no subsolo. Ele ministrava suas exposições no térreo e no primeiro andar, e vivia com sua carinhosa esposa, Sarah, em um apartamento no andar superior.

Quando chegou aos 50 anos, Faraday começava a sofrer com dores de cabeça e eventuais perdas de memória. Ele precisava, cada vez mais, do que chamava "descanso para a cabeça". Entretanto, essa foi talvez, a sua época de maiores conquistas.

Em 1845, o cientista iniciou uma série de experimentos em que tentou descobrir se o eletromagnetismo poderia afetar a forma como a luz era polarizada por substâncias transparentes. Depois de ter feito testes com diversas substâncias, ele finalmente experimentou usar um cristal de chumbo pesado, logo comprovando que a polarização era afetada pelo magnetismo. Era uma conquista extraordinária, que demonstrava uma clara ligação entre luz, magnetismo e eletricidade, abrindo caminho para a descoberta do espectro completo da radiação eletromagnética, o que incluiria ondas de televisão, microondas, raios X e raios gama, assim como a luz.

Foi nessa época que Faraday começou a falar em campos de força. Na realidade, a palavra "campo" veio de William Thomson, o jovem matemático de Glasgow que – até a chegada de James Clerk Maxwell – era visto por Faraday como a única pessoa no mundo que compreendia suas ideias por completo.

OS ANOS FINAIS

Ao longo da década de 1840, Faraday tornou-se cada vez mais fechado. Isso se devia, em parte, a sua religião. Ele era um membro fervoroso da pequena seita de Sandeman, que era tão estrita na observância religiosa que teria suspendido Faraday de seu cargo de presbítero quando ele deixou de comparecer em um domingo para atender a um convite da rainha. Sua religião pregava que ele não poderia aceitar todas as honras que lhe fossem oferecidas, o que incluía um título de cavaleiro.

Ademais, tornavam-se cada vez mais frequentes seus acessos de tontura, suas dores de cabeça e suas perdas de memória. O cientista recebeu da rainha uma residência de Graça e Favor no palácio de Hampton Court e lá faleceu em 25 de agosto de 1867, aos 76 anos.

FORÇAS DA NATUREZA

Com seu conceito de gravitação, Newton havia tornado aceitável a ideia de que uma força invisível exerceria seu efeito através de um espaço vazio, mas a ideia de "ação à distância" começava a não mais se sustentar no início do século XIX. Em 1830, Young e Fresnel haviam demonstrado que a luz não se propagava na forma de partículas, como Newton afirmara, mas em ondas ou vibrações. Contudo, se isso fosse verdade, o que estaria vibrando? Cientistas propuseram a ideia de uma matéria sem peso chamada "éter".

Faraday teve uma ideia diferente. Ele passou a admitir uma noção de campos compostos por linhas de força – demonstrados, de forma gráfica, pela ação de um ímã. Isso significava que uma ação à distância simplesmente não existiria, e sim que as coisas se moveriam apenas quando encontravam essas linhas de força, que não seriam imaginárias, mas sim dotadas de realidade física. Faraday entendeu que ímãs induziam correntes elétricas porque criavam linhas móveis de força magnética que carregavam uma carga elétrica à medida que se movimentavam. Hoje, a concepção de campos de força é quase senso comum, mas, na época de Faraday, era tão radical que poucos nem sequer a entenderam. Conseguia-se visualizar a ideia de áreas de influência magnética, mas a noção de campos eletromagnéticos ia muito além. Matemáticos rejeitavam as ideias de Faraday pela falta de elementos matemáticos. Em 1855, o cientista escreveu: "Eu me contento em aguardar, convicto que estou na verdade de minha teoria". E ele estava certo.

Charles Babbage

1791–1871

O HOMEM QUE CALCULAVA

CHAMADO DE "GÊNIO IRASCÍVEL", ELE FOI O NOTÁVEL MATEMÁTICO CUJAS IDEIAS DE CALCULADORAS MECÂNICAS E MÁQUINAS "PENSANTES" ANTECIPARAM A ERA DO COMPUTADOR EM 150 ANOS

Charles Babbage, óleo sobre tela, Samuel Laurence, 1845

Charles Babbage iniciou em uma noite de 1821 sua pesquisa – que duraria a vida toda – para criar uma máquina que calculasse mecanicamente. O jovem e seu amigo John Herschel lançavam-se sobre manuscritos de tabelas matemáticas, conferindo de maneira cuidadosa as dezenas de milhares de registros, um a um. Conforme faziam isso, depararam-se com inúmeros erros cometidos pelos "computadores" – as mal pagas calculadoras humanas que faziam aquelas contas. Exasperado, Babbage exclamou: "Por Deus, eu gostaria que esses cálculos tivessem sido executados por máquinas!".

Sua frustração não era direcionada apenas à tarefa tediosa de compilar tabelas, mas também à grande chance de erros. Aquelas tabelas eram vitais em muitas esferas da vida – ciência, tributação, engenharia, agrimensura, seguros, operações bancárias, entre outras. Quando uma embarcação zarpasse, por exemplo, a cabine do navegador estaria forrada com volumes e mais volumes de tabelas que o ajudariam a identificar a posição do navio no mar.

As pessoas usavam ferramentas de cálculo havia milhares de anos – bastões de contagem, ábacos e outros – e, durante os séculos XVII e XVIII, matemáticos como Leibniz e Pascal criaram instrumentos mecânicos para auxiliar nessas operações. Alguns desses dispositivos eram engenhosos, mas seu alcance era limitado, e eram propensos ao erro, tanto porque poderiam dar indicações erradas quanto porque dependiam de interferência humana a cada passo.

A intenção de Babbage era criar uma máquina de calcular que funcionasse de maneira completamente automatizada. Ele não foi o primeiro a ter essa ideia, mas só ele a tornou uma realidade prática. Seu invento chamava-se Máquina Diferencial, pois tinha a inteligência de permitir que multiplicações e divisões complexas fossem reduzidas a adições e subtrações, ou "diferenças", que poderiam ser resolvidas por engrenagens interligadas. Embora o trabalho na Máquina Diferencial tenha chegado ao fim dez anos depois, quando o governo retirou seu financiamento, Babbage lançou-se ao desenvolvimento de um aparelho ainda mais sofisticado, a Máquina Analítica.

A Máquina Diferencial era, em última análise, apenas uma calculadora mecânica inteligente, apesar de ideias sofisticadas como a impressão automática de resultados. Por outro lado, a Máquina Analítica pode ter sido, de fato, o que hoje chamamos de computador – um engenho que podia "pensar", que dava respostas a novos problemas e encontrava a própria forma de resolvê-los. Babbage antecipou praticamente todos os elementos fundamentais do computador moderno, incluindo a unidade de processamento central e os diferentes tipos de memória. As inovações de Babbage eram ideias inteiramente práticas, mas estavam além da tecnologia da época.

Nascido no sul de Londres, em 26 de dezembro de 1791, Babbage era filho de pais abastados. Sua relação com o pai nunca foi boa: ele chegou a escrever que ele tinha "o temperamento mais terrível que se poderia imaginar". Babbage desenvolveu uma personalidade defensiva que o assombraria por toda a vida.

Aos 19 anos, quando foi para Cambridge, já se mostrava um matemático brilhante. Ele irritou as autoridades universitárias com seu trabalho final provocativo – "Deus é um agente material" –, que fez com que, por um bom período, seu acesso a postos acadêmicos fosse barrado.

Babbage casou-se com a jovem Georgina Whitmore contra a vontade do próprio pai e fixou residência em Londres. Felizmente, ele era agradável, talentoso e enérgico, e logo se tornou uma luz guia nos círculos científicos de Londres, ajudando a fundar a Royal Astronomical Society e a Analytical Society. Assim, quando requereu financiamento do governo para construir uma versão completa da Máquina Diferencial após um modelo em pequena escala em 1821, muitos amigos influentes o apoiaram.

VIVE LA DIFFÉRENCE

A Máquina Diferencial nº 1 era um projeto ambicioso ao extremo. Calculadora nenhuma havia trabalhado com números acima de quatro dígitos, mas Babbage planejou um dispositivo que manipularia até 50 algarismos. Uma vez programado, ele faria todo o cálculo de maneira automatizada. Cada número era representado por uma coluna de engrenagens, e cada roda dentada dessa engrenagem era marcada com dígitos de 0 a 9. Para programar um número, giravam-se as diversas engrenagens da coluna para que cada parte mostrasse o algarismo correto. O modelo em operação tinha sete colunas de números, cada qual com 16 engrenagens de dígitos. Ao todo, a Máquina Diferencial tinha 25 mil peças móveis, e muitas deles deveriam ser rigorosamente idênticas, pois do contrário, a máquina simplesmente não funcionaria.

Até então, ninguém havia tentado construir uma máquina com tantas peças ou tamanha precisão, e isso exigia toda a habilidade de que os operadores dispunham. Como os programas espaciais de hoje, o projeto teve muitos desdobramentos tecnológicos, dos quais a rosca Whitworth foi um dos mais importantes: desenvolvido 20 anos depois por Joseph Whitworth, um dos homens que trabalhou no projeto, esse sistema pioneiro de roscas padronizadas revolucionou a engenharia.

As tecnologias eram desenvolvidas conforme o projeto avançava; o progresso era lento e, após dez anos de trabalho árduo, apenas metade das peças havia sido feita. Os cinco anos anteriores a 1832 haviam sido especialmente difíceis para Babbage. Em 1827, o pai falecera, seguido por seu filho e por sua amada

A MÁQUINA ANALÍTICA

A Máquina Analítica de Babbage pressagiou o computador moderno em mais de um século. Um dos problemas das máquinas de calcular dizia respeito às transferências. Nas adições, somava-se cada coluna de algarismos e transferia-se então o devido valor. No início, a estrutura era bastante complicada – até que Babbage teve a brilhante ideia de separar o processo do de adição. Ele dividiu sua máquina em duas partes: o *mill* ("moinho" ou "engenho"), no qual diversas operações aritméticas eram feitas, e o *store* ("armazém" ou "depósito"), no qual os números seriam armazenados e para o qual eram direcionados os resultados obtidos no "engenho" após o processamento. Não poderia haver uma analogia mais clara com a CPU (o *mill*) e a memória (o *store*) de um computador moderno.

Outra ideia correspondia ao que hoje chamamos de "programa". Babbage inspirou-se no tear mecânico de Jacquard, que utilizava cartões perfurados para informar a uma máquina de tecelagem como tecer padronagens complexas na seda. Em 1836, o matemático percebeu que ele poderia lançar mão de cartões perfurados não apenas para controlar sua máquina, mas também para gravar resultados e sequências de cálculos de maneira permanente. Os cartões furados de Babbage funcionavam tanto como os programas, quanto como os dispositivos portáteis de armazenamento de dados dos computadores modernos.

esposa, Georgina. Seus ataques à natureza moribunda das organizações científicas lhe renderam uma multidão de inimigos poderosos. Acusações de que ele estaria usando o projeto para desviar dinheiro feriram-no profundamente. À medida que o ritmo do projeto diminuía, o matemático começou a perceber que poderia ir além com o cálculo mecânico. Ele passou a trabalhar em uma nova e grandiosa ideia: a Máquina Analítica.

Réplica da Máquina Diferencial exposta no Museu Histórico do Computador, na Califórnia

Terminado o prospecto da Máquina Analítica, com o governo ainda se recusando a retomar o financiamento da Máquina Diferencial, Babbage chegara a um impasse. O trabalho na Máquina Analítica era solitário, e as ideias de Babbage eram muito pouco compreendidas.

Então, sentiu-se grato quando, em 1843, ganhou uma fã como a aristocrata de 27 anos de idade Ada Lovelace, filha do poeta lorde Byron. Ada estava convencida de sua habilidade matemática, escrevendo a Babbage: "Quanto mais estudo, mais sinto que minha mente nisso é insaciável". O matemático ficou lisonjeado e chamou-a a "Encantadora de Números". Ada conseguiu a publicação de um panfleto sobre a Máquina Analítica na Itália, à qual ela própria adicionou extensas notas explicativas. Uma ideia fundamental que emergiu em suas notas foi a noção de que a máquina poderia ter aplicações que iriam muito além daquelas puramente matemáticas. Babbage e ela anteviram o verdadeiro alcance dos cérebros mecânicos. Ada escreveu: "Muitas pessoas supõem que, como a máquina deve fornecer resultados em notação numérica, a consequência lógica é que a natureza de seus processos deva ser aritmética e numérica (...) Isso é um equívoco. A máquina pode organizar e combinar seus números exatamente como se fossem letras ou quaisquer outros símbolos genéricos".

ACABANDO COM TODAS AS DIFERENÇAS

Os planos de Ada foram frustrados de forma trágica quando ela contraiu câncer e morreu precocemente aos 36 anos. Enquanto isso, sem recursos e aproveitando o seu trabalho na Máquina Analítica, Babbage chegou a um projeto muito mais simples e elegante para a Máquina Diferencial. Esse modelo, chamado de Máquina Diferencial nº 2, corresponde ao aparelho construído segundo seus planos pelo Museu de Ciências de Londres em 1991.

Na década de 1850, os anos de decepção começavam a fazer efeito. Babbage – agora com mais de 60 anos – estava perdendo coragem. Então, em 1854, um impressor sueco chamado Georg Scheutz levou a Londres uma máquina diferencial rudimentar, porém eficiente, que ele próprio desenvolvera, inspirado por leituras sobre o engenho de Babbage 20 anos antes.

Scheutz ficara apreensivo com a forma como Babbage poderia reagir a um rival, mas este o recebeu de braços abertos, ajudando-o a estabelecer contatos em Londres para divulgar seu aparelho. Foi Scheutz que, em 1857, previu: "(Babbage) será conhecido pelo que ele realmente é: um dos benfeitores da humanidade, e um dentre os mais nobres e inventivos filhos da Inglaterra". Entretanto, a máquina de Scheutz, assim como a de Babbage, não despertou nada além de curiosidade. Calculistas humanos continuavam como uma opção mais barata e prática. Babbage retomou seu trabalho na Máquina Analítica e escreveu dissertações perspicazes sobre uma vasta gama de questões científicas, incluindo cifras e códigos, xadrez, economia industrial, geologia, submarinos e astronomia. Atormentado por pesadelos e dores de cabeça terríveis, em outubro de 1871, ele ficou gravemente doente e, no dia 18 daquele mês, morreu.

Charles Darwin em 1868, em foto de Julia Margaret Cameron

Charles Darwin
A ORIGEM REDESCOBERTA

1809–1882

NA HISTÓRIA DA CIÊNCIA, POUCAS IDEIAS PRODUZIRAM TAMANHA REVIRAVOLTA NA FORMA COMO NOS VEMOS COMO A TEORIA EVOLUCIONISTA, SEGUNDO A QUAL TODOS OS SERES VIVOS, INCLUINDO OS HUMANOS, EVOLUÍRAM PARA SUAS FORMAS ATUAIS POR MEIO DE UM PROCESSO DE SELEÇÃO NATURAL

No século que antecedeu Darwin, a observação científica e a racionalidade iluminista mudaram gradativamente a forma como as pessoas olhavam para a natureza. Ela não era mais considerada tão mágica e misteriosa, mas sim algo a ser estudado com a ajuda do crescente acervo de conhecimento científico.

Botânicos partiram dos resultados obtidos no trabalho de Lineu para descobrir e classificar mais e mais espécies de plantas; zoólogos fizeram o mesmo com animais. Novos zoológicos e jardins botânicos grandiosos, como o Kew Gardens, em Londres, eram a prova real dos esforços desses caçadores de espécies.

Tanto cientistas quanto teólogos começaram a se perguntar como seria possível que todas aquelas espécies tivessem surgido e por que cada uma parecia tão bem adaptada ao ambiente em que vivia – peixes a nadar no mar, pássaros a voar nos céus e assim por diante.

A visão ortodoxa era a criacionista. Na Bíblia, de acordo com o Gênesis, "Deus criou toda criatura viva que se mexe (...) toda ave que voa (...) e toda coisa que rasteja sobre a face da Terra". Assim, para muitos, e ainda hoje, todas as espécies foram criadas por Deus de uma só vez – cada uma projetada por Ele de maneira perfeita para se adaptar às condições nas quais vivia.

Todavia, alguns pensadores começavam a questionar a ideia de um mundo de espécies imutáveis desde o início dos tempos. Um número crescente de naturalistas estudava os fósseis e descobria que pertenciam a espécies bem diferentes das existentes na atualidade. Aonde essas espécies tinham ido, e por que havia tão poucos fósseis de criaturas como aquelas do tempo presente?

Ao mesmo tempo, geólogos como Hutton desafiavam a ideia de que o mundo teria apenas alguns milhares de anos. Eles argumentavam que a Terra, na verdade, era bastante antiga e que as paisagens haviam sido criadas por ciclos longos e lentos de erosão e sublevação.

Nesse contexto, mais e mais pensadores começaram a argumentar que as espécies não são fixas, mas sim que teriam mudado – ou evoluído – ao longo do tempo. Um desses pensadores era o avô de Charles Darwin, Erasmus Darwin. Outro intelectual, e talvez o mais famoso, foi o naturalista francês Jean-Baptiste Lamarck.

Lamarck chegou até a sugerir como a evolução ocorreria. Ele afirmou que cada espécie teria uma "intuição" que a impulsionaria a ascender na escala evolutiva. Ele asseverava também que as habilidades que auxiliariam na sobrevivência poderiam ser passadas de geração em geração. Uma girafa que conseguisse esticar o pescoço para alcançar galhos mais altos, por exemplo, transmitiria à sua cria o longo pescoço.

As ideias de Lamarck chocaram de tal forma a visão religiosa ortodoxa que quem as defendeu foi demitido de cargos de ensino – até meados de 1840. A revolução de Darwin não foi a descoberta da evolução – Lamarck e outros já o haviam feito. O que ele conseguiu foi desvendar o que exatamente era a evolução e como ela ocorria. Sua perspicácia estava em focalizar indivíduos, não espécies, e ele demonstrou como os indivíduos evoluem por seleção natural. A variedade existente em um grupo de indivíduos implica que alguns estarão mais bem equipados para sobreviver e transmitirão suas características. Esse mecanismo explicava como todas as espécies, incluindo os seres humanos, evoluiriam para se adaptar a seu meio ambiente.

O JOVEM DARWIN

Darwin nasceu em 12 de fevereiro de 1809, em Shrewsbury, filho de um próspero médico do interior. Charles era o mais novo da família e o único menino e, durante a infância, foi paparicado pelas irmãs. Desde cedo, ele coletava espécimes e conduzia experimentos de química. Já a escola, afirmou Darwin, "enquanto meio de aprendizado para mim era totalmente nula".

Aos 16 anos, ele foi para Edimburgo estudar medicina, como fizera seu pai. Darwin, porém, achava as operações demasiadamente asquerosas e passava a maior parte de seu tempo com o zoólogo Robert Grant, adepto das ideias de Lamarck. Ambos eram ávidos colecionadores e poderiam passar dias perambulando pelas montanhas da Escócia procurando plantas. Como Darwin não se adaptou à medicina, seu pai o mandou estudar teologia no Christ's College, em Cambridge. Mais uma vez, o jovem distraiu-se com outro naturalista – dessa vez, o professor reverendo John Henslow.

Em 1830, Henslow recebeu a oferta do posto de botânico no HMS *Beagle*, que logo deveria zarpar para a América do Sul em uma viagem de exploração para o Almirantado. Ele não pôde ir, mas ofereceu o cargo ao jovem Darwin.

A princípio, o pai negou-lhe autorização, mas cedeu depois de muita insistência de suas filhas. A viagem do *Beagle* era para ser, literalmente, quase uma viagem para a vida toda para Darwin *(veja quadro na página 79)*.

A VIAGEM DE UMA VIDA

Inicialmente planejada para durar dois anos, ela acabou se estendendo por cinco. Quando Darwin retornou, era outro homem. Ele não apenas reunira informações sobre espécies ao redor do mundo em quantidade suficiente para render uma vida toda, mas também encontrara o germe de sua teoria evolucionista, tão extraordinária fora a variedade de vida selvagem observada na jornada. Contudo, ele dedicou muitos anos de reflexão paciente e estudo até que sua teoria estivesse pronta para ser levada a público.

Quando retornou a Londres, Darwin uma verdadeira celebridade, pois Henslow fizera diversas palestras com base nos seus espécimes e observações. Ele foi indicado para um posto na Royal Society, mas nunca pretendeu ficar sob as luzes dos holofotes e, nos anos que se seguiram, passou grande parte de seu tempo reunindo informações, visitando zoológicos, conversando com criadores de plantas e com qualquer um que pudesse lhe fornecer mais pistas sobre a evolução.

Em 1838, com 29 anos, o cientista decidiu se casar com sua prima Emma, depois de muito sopesar os prós e contras. Foi um casamento muito feliz, e logo o casal mudou-se para a Down House, próxima a Bromley, em Kent, lá permanecendo até o final da vida. Darwin nunca teve uma saúde de ferro – e pode ter contraído alguma doença tropical em sua viagem no *Beagle* –, mas continuou a trabalhar em suas ideias acerca da evolução.

Embora as ideias de Darwin fossem se expandindo por um acúmulo vagaroso, houve um momento de *"Eureka!"*. Foi quando leu *Ensaio sobre o princípio da população*, de Thomas Malthus. Nesse livro, escrito em 1798, Malthus afirmara que as populações – tanto humanas quanto animais – cresceriam até que ultrapassassem a quantidade de alimento disponível, ponto em que a população entraria em colapso, para que todo o processo recomeçasse.

Darwin animou-se: "Arrebatou-me a ideia de que, sob essas condições, variedades favorecidas tenderiam a ser preservadas, enquanto as desfavorecidas seriam destruídas. O resultado seria a formação de novas espécies (...). Eu finalmente encontrara uma teoria com a qual trabalhar". Darwin, então, se lançou a dez anos de trabalho, redigindo um tratado sobre uma única espécie de craca, que ele assim descreveu: "O sr. Arthrobalanus (é) um enorme pênis enrolado". E então, subitamente, uma bomba caiu em seu escritório no verão de 1858.

A bomba era uma carta de Alfred Wallace. O jovem naturalista havia esboçado uma teoria da evolução por seleção natural que correspondia quase por completo à de Darwin. "Eu nunca vi uma coincidência mais impressionante", comentaria Darwin posteriormente. Ele conversou com os amigos – o famoso geólogo Charles Lyell, o botânico Joseph Hooker e o filósofo T. H. Huxley – e juntos eles providenciaram que as ideias de Darwin e de Wallace fossem apresentadas de maneira conjunta, deixando claro que Darwin desenvolvera suas concepções 12 anos antes.

Impelido a agir, Darwin escreveu então sua grande obra, *A origem das espécies*, na qual delineou seu pensamento e forneceu um rico acervo de evidências para comprová-lo, reunido na viagem do *Beagle* e em pesquisas subsequentes. A primeira edição do livro, com 1.250 cópias, esgotou-se no dia da publicação, em 24 de novembro de 1859.

O GRANDE DEBATE

Algumas pessoas abraçaram a ideia da evolução imediatamente, percebendo como ela explicava uma enorme parte do mundo natural. Outras condenaram-na, alegando ser uma afronta a Deus, pois a teoria de Darwin não deixava espaço para a criação divina.

Discussões acaloradas tiveram vez tanto às mesas de jantar quanto em câmaras de debates por toda a Europa. O bispo de Oxford Sam Wilberforce, em um desses encontros, pediu que o amigo de Darwin T. H. Huxley contasse se era por parte do avô ou da avó que ele descendia de um macaco. A piada barata ganhou fama, mas Huxley argumentou de maneira séria e persuasiva o suficiente para ganhar a discussão. Os darwinistas, como vieram a ser chamados, aos poucos conquistaram mais adeptos para sua causa.

DESCENDÊNCIA HUMANA

Darwin, sem chamar atenção, manteve-se fora do debate na Down House, mas escreveu *A descendência do homem* (1871), livro no qual explicou como sua teoria da evolução se aplicaria à própria evolução da raça humana a partir dos macacos. Em uma famosa passagem, Darwin escreveu: "O homem, com todas as suas qualidades notáveis (…), ainda apresenta, em sua estrutura corporal, a indelével marca de sua origem inferior". Darwin continuou a desenvolver seus conceitos, em especial os relacionados aos humanos, pelo resto da vida. Em 1872, aos 63 anos, ele publicou um importante livro sobre como as emoções e as expressões podem ter evoluído, chamado *A expressão das emoções no homem e nos animais*.

A essa altura, os longos anos de saúde fraca e estudos árduos começavam a pesar. Ele morreu em 19 de abril de 1882, aos 73 anos, e foi sepultado com honrarias na abadia de Westminster.

A tese da evolução do homem a partir de primatas menos evoluídos foi recebida com ceticismo e muita ironia

Venerável orangotango, charge, anônimo, revista The Hornet, 1871

A VIAGEM DO *BEAGLE*

Em sua autobiografia, Darwin relatou: "A viagem do *Beagle* foi sem dúvida o acontecimento mais importante da minha vida e decisivo para toda a minha carreira". Ao embarcar, ele era um botânico amador, com conhecimento apenas básico sobre plantas, muito pouco sobre zoologia e nenhum de geologia. Quando estava prestes a zarpar, Henslow entregou-lhe um exemplar do primeiro volume do recém-publicado *Princípios de geologia*, de Charles Lyell. Para Darwin, o livro foi uma verdadeira revelação, mostrando como as paisagens evoluíram gradativamente por meio de longos ciclos de erosão e sublevação.

Os bicos de tentilhões nas várias ilhas de Galápagos deram a Darwin provas de adaptação evolutiva

Na primeira parada do *Beagle*, em Cabo Verde, Darwin viu uma bainha de corais brancos subindo o flanco do vulcão, o que mostrava que a elevação da montanha fora gradual, e não repentina. Ele enviou uma carta para a terra natal dizendo: "A geologia levou a melhor". À medida que a viagem prosseguiu pela costa leste da América do Sul, Darwin foi reunindo uma incrível quantidade de espécimes e fazendo anotações copiosas, enquanto a noção de que as espécies eram projetadas e fixas parecia-lhe cada vez mais improvável. O ponto alto de suas observações ocorreu nas ilhas Galápagos, próximas à costa oeste da América do Sul, no outono de 1835. "Há aqui cerca de 20 ilhas," notou Darwin, "e cada uma tem sua própria subespécie de tentilhão, com o bico adaptado perfeitamente a seu meio de obtenção de alimento". Algumas usavam os bicos para quebrar nozes, outras para sugar o néctar das flores e assim por diante. Essa foi a evidência decisiva para ele de que as espécies evoluíam para se adequar ao meio ambiente; elas não eram "projetadas" para se adaptar desde o início.

Louis Pasteur em fotografia de Félix Nadar

Louis Pasteur

1822–1895

MILHÕES DE VIDAS SALVAS

O GRANDE CIENTISTA FRANCÊS FOI PIONEIRO NA TEORIA DE QUE GERMES CAUSAM DOENÇAS, CRIOU AS VACINAS CONTRA RAIVA E CATAPORA E INVENTOU O MÉTODO DE TRATAMENTO QUE EVITA QUE O VINHO, A CERVEJA E O LEITE ESTRAGUEM

Em meados do século XIX, os trens levavam rapidamente de um lugar a outro, os telégrafos permitiam comunicação instantânea e os cientistas descobriam as partículas subatômicas, mas a medicina ainda estava na Idade Média. As chances de sobreviver além da infância eram limitadas, mesmo entre os mais abastados. As famílias vitorianas praticamente esperavam que ao menos um de seus filhos morresse jovem.

Mulheres sabiam que poderiam morrer no parto, sobretudo se esse fosse feito em um hospital. Após uma cirurgia, as chances de uma infecção eram enormes. E doenças como cólera e tuberculose faziam grandes estragos, sobretudo entre os mais pobres. Médicos eram incapazes de combater diversas enfermidades. Ser acometido por males como a sífilis era quase uma sentença de morte. Os médicos dispunham de uma quantidade ínfima dos remédios que hoje nos parecem banais. Na verdade, a única substância eficaz que possuíam para acabar com a dor era o ópio. Eles não faziam ideia do que causava uma doença infecciosa.

Leeuwenhoek havia apontado para o possível papel que micróbios teriam nas doenças quando os descobriu, no século XVII, mas ninguém seguiu adiante com a ideia. No século XIX, muitos médicos ainda acreditavam no miasma, um vapor tóxico misterioso que emanava de águas paradas, de casarios insalubres e das fezes. Embora já houvessem observado bactérias em feridas e em tecidos enfermos, eles pensavam que sua aparição era uma consequência das doenças.

Inicialmente, o interesse de Pasteur pelos micróbios veio de sua pesquisa sobre o vinho, que mostrou que micro-organismos chamados leveduras faziam o vinho fermentar e maturar. Ele descobriu que o tipo errado de micróbios faria o vinho estragar – e que eles poderiam ser erradicados pelo aquecimento. Ele continuou suas pesquisas, demonstrando que a geração espontânea – o conceito de que micróbios apareceriam do nada – era uma falácia.

Pasteur convenceu-se de que germes microbianos causavam doenças e demonstrou como muitas moléstias poderiam ser evitadas por meio da elevação das defesas do corpo pela vacinação com formas enfraquecidas desses germes. Em poucas décadas, cientistas foram capazes de identificar os germes responsáveis por uma série de doenças, incluindo tuberculose, cólera, difteria, lepra, tétano, malária e febre amarela.

O JOVEM ARTISTA

Pasteur nasceu em 27 de dezembro de 1822, em Dole, Borgonha. Seu pai, Jean-Joseph, era um curtidor, não exatamente rico. Quando garoto, Louis tinha mais talento para a arte do que para a ciência, e dizia-se que ele poderia ter sigo um grande pintor. Entretanto, conforme crescia, ele mostrava um interesse cada vez maior pela ciência e, aos 21 anos, entrou na prestigiada École Normale Supérieure, em Paris, para se tornar professor de ciências.

Um ano depois de ter se formado, apresentou seu primeiro artigo à Academia de Ciências. Foi uma estreia brilhante. Nele, explicou como cristais de ácido tartárico – que se formam quando as uvas fermentam – e cristais de ácido racêmico são quimicamente idênticos, mas têm propriedades diversas. Pasteur demonstrou que seus cristais não eram exatamente idênticos, mas sim perfeitos espelhos uns dos outros. O impacto de sua publicação foi tamanho que ele recebeu a Légion d'Honneur (Ordem Nacional da Legião de Honra) do governo francês, bem como uma medalha de ouro da Royal Society inglesa. Anos mais tarde, Pasteur seria reconhecido como o fundador do que hoje se conhece como estereoquímica.

Ele foi alçado ao posto de professor de química na Universidade de Estrasburgo, casou-se com Marie Laurent e começou a trabalhar arduamente com pesquisa. Anos depois, Marie escreveria à filha: "Seu pai, como sempre muito ocupado, pouco me dirige a palavra, pouco dorme e acorda de madrugada – resumindo, continua hoje com a vida que comecei com ele há 35 anos".

Pasteur defendia que professores e industriais não deveriam viver em mundos separados. Encorajado, o diretor de uma fábrica de vinagre em Lille, onde o cientista estivera em 1854, abordou-o com um problema. A fábrica produzia vinagre de suco da beterraba, mas o processo de fermentação dava errado com frequência, estragando o vinagre. Problemas similares ocorriam na produção de vinho e de cerveja.

Os cientistas presumiam que a fermentação era um processo químico, mas, quando Pasteur o investigou com a ajuda de um microscópio, viu que, quando vinho e cerveja maturavam da forma correta, eles continham minúsculos micróbios redondos chamados levedura. Eram esses micróbios, percebeu Pasteur, que produziam o álcool na fermentação. Ele observou também que vinho e cerveja continham células de levedura alongadas quando o processo dava errado. Ficou claro que havia dois tipos de levedura envolvidos – um produzia álcool e outro, o indesejado ácido lático.

Pasteur não ficou satisfeito em descobrir o problema; ele queria encontrar uma solução, como se tornaria característico em seu trabalho. Logo descobriu que poderia exterminar a levedura prejudicial sem causar danos à levedura boa por meio de um processo de elevação gradual da temperatura do vinho a cerca de 60 ºC. A princípio, os fabricantes de vinho mostraram-se céticos, temerosos de que o aquecimento poderia trazer danos ao sabor, mas eles foram logo convencidos, e o processo de "pasteurização" é hoje amplamente utilizado para tornar vinho, cerveja, leite e muitos sucos de fruta seguros para o consumo.

MICRÓBIOS NO AR

O trabalho de Pasteur com as leveduras fizeram-no começar a pensar sobre como tais micróbios apareceriam inicialmente. Ele estava convencido de que eles não eram gerados de maneira espontânea, como muitos afirmavam. Por meio de uma série de experimentos simples, porém engenhosos, mostrou que a comida estragava quando em contato com ar comum, mas não quando exposta apenas a ar que fora aquecido para eliminar os micróbios.

Cartão-postal mostra sala de aula do Instituto Pasteur, em Paris, c. 1910

Ele demonstrou também que a comida não estragava tão rápido no alto dos Alpes, onde o ar é rarefeito. Isso provava que o mofo não era gerado espontaneamente, mas sim que decorria de esporos no ar – quanto menos esporos houvesse, mais lentamente a comida estragaria.

Pasteur começava a ganhar fama de desatador de nós e, em 1865, pediram-lhe que investigasse a doença que estava matando bichos-da-seda e ameaçando a indústria de seda no sul da França. Ele mergulhou no problema com a energia costumeira. Rapidamente, percebeu que um pequeno parasita era o culpado e recomendou uma solução drástica: matar todos os bichos e amoreiras infestados e começar de novo. Os produtores seguiram seu conselho e a indústria da seda sobreviveu.

Seu reconhecimento era tamanho que, em 1867, Napoleão III mandou criar um laboratório especialmente para Pasteur. Infelizmente, ele aproveitou seu novo espaço por apenas um ano; um derrame deixou a parte superior de seu braço e sua perna esquerda paralisadas. A partir daí, assistentes realizariam quase toda a parte experimental de seu trabalho.

MICRÓBIOS E DOENÇAS

A essa altura, Pasteur estava convencido do papel que os micróbios tinham nas infecções. O cirurgião inglês Joseph Lister havia lido sobre o trabalho do cientista e percebido que operações cirúrgicas poderiam ser mais seguras se as feridas fossem limpas e os curativos, esterilizados para destruir os micróbios. As taxas de mortalidade nas operações começaram a cair tão logo esse procedimento "antisséptico" foi introduzido. Lister reconheceu a contribuição de Pasteur em seu aniversário de 70 anos: "Não existe neste mundo um indivíduo a quem a ciência médica deva mais do que a você".

O próprio Pasteur começou a averiguar a maneira como as doenças se alastravam entre humanos e animais e tinha certeza da influência dos germes. Em 1876, Robert Koch alegou haver detectado os germes que causavam o carbúnculo nas ovelhas. Pasteur fez os próprios testes e não apenas confirmou a descoberta como também mostrou que os germes sobreviveriam por longos períodos no solo. Assim, ovelhas saudáveis poderiam facilmente ser contaminadas com a doença em um pasto ocupado antes por ovelhas doentes.

O PODER DA INOCULAÇÃO

Cem anos antes, Edward Jenner havia demonstrado que inocular pessoas com varíola bovina, uma versão menos agressiva de varíola, as protegeria da moléstia mais grave.

Pasteur questionava-se se isso funcionaria com o carbúnculo. Em um famoso experimento, ele mostrou que ovelhas inoculadas com germes de antraz fragilizados pelo calor sobreviveram à posterior inoculação com germes comuns, ao passo que ovelhas não tratadas não resistiram. Com o método, milhares de ovelhas foram protegidas. Em 1878, Pasteur anunciou que a inoculação funcionava também contra a cólera aviária. Logo o cientista voltou sua atenção para a raiva, e seu sucesso em criar uma vacina contra essa terrível doença o tornou famoso em toda a Europa.

De fato, um movimento para coletar fundos para aprofundar seu trabalho recebeu uma avalanche de contribuições, tanto de pessoas comuns quanto da realeza, o que incluiu o czar da Rússia. Com mais de 2 milhões de francos captados, em 14 de novembro de 1888, inaugurou-se o Instituto Pasteur, em Paris.

O cientista morreu em 28 de setembro de 1895. Suas últimas palavras foram: "É preciso trabalhar; é preciso trabalhar. Eu fiz o que pude". Ele recebeu um funeral de Estado e foi sepultado em uma magnífica tumba no Instituto Pasteur, com paredes decoradas com pinturas de carneiros, cães e crianças cujas vidas salvara.

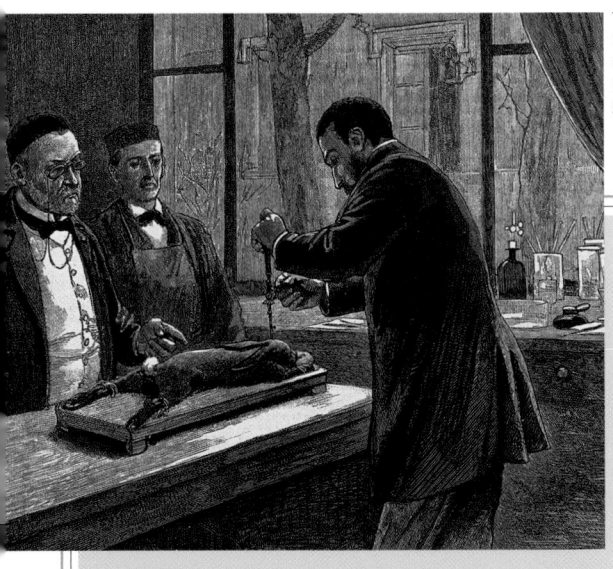

Louis Pasteur e dois assistentes injetando vírus da raiva no cérebro de um coelho, *gravura, anônimo, c. 1885*

PREVENINDO A RAIVA

Na década de 1880, a raiva era uma doença avassaladora, que matava suas vítimas com grande agonia, e Pasteur estava determinado a encontrar uma forma de vencê-la. Com grandes riscos à própria vida, ele retirou amostras das mandíbulas de cães raivosos, sugando a saliva através de um tubo de vidro e infectando coelhos com ela. Com isso, ele chegou a uma versão atenuada do vírus, após ter ressecado a medula dos coelhos mortos. Quando esse vírus mais fraco foi injetado em coelhos saudáveis, ele os protegeu da raiva. O cientista não tinha certeza se essa vacina funcionaria em seres humanos e receava tentar.

Mas, em julho de 1885, um jovem pastor de 9 anos, Joseph Meister, foi levado a ele após ter sido mordido 14 vezes por um cão raivoso. Se Pasteur nada fizesse, era certo que o garoto morreria agonizando, então injetou sua vacina contra raiva no menino. O tratamento funcionou e o garoto recuperou a saúde. Quando a notícia se espalhou pela Europa, as pessoas começaram a procurá-lo. Um grupo de 19 turistas russos mordidos por um lobo furioso bateu à sua porta. Fazia duas semanas que eles haviam sido mordidos e o pesquisador temeu que a enfermidade tivesse se alastrado demais. Dezesseis sobreviveram. Nos dez anos seguintes, 20 mil vítimas de raiva receberam o tratamento de Pasteur, e apenas 200 morreram.

Um revolucionário no mosteiro, litogravura, E. F. Skinner, séc. XX

Gregor Mendel
1822–1884

A RESPOSTA NAS ERVILHAS

O MONGE AGOSTINIANO DO SÉCULO XIX FOI O MAIS IMPROVÁVEL DOS PIONEIROS NO CAMPO DAS CIÊNCIAS BIOLÓGICAS. HOJE ELE É LEMBRADO COMO O FUNDADOR DA GENÉTICA

Gregor Mendel foi o primeiro a aplicar a matemática e a estatística à biologia. Seus princípios de hereditariedade revolucionariam o cultivo de plantas e a criação de rebanhos no século XX. Nascido em julho de 1822, em Hyncice, região remota do Império Austríaco que hoje é parte da República Tcheca, o jovem Mendel entrou para um monastério agostiniano em Brünn, na Morávia, em 1843 e foi ordenado em 1847.

Ao longo de seus estudos sacerdotais, ele encontrou tempo para também aprender por conta própria um pouco sobre ciências e, em 1849, trabalhou por breve período como professor substituto de matemática. No ano seguinte, foi reprovado no exame para se tornar professor titular, recebendo as piores notas, ironicamente, em biologia. Em 1851, o abade enviou Mendel à Universidade de Viena para estudar física, química, matemática, zoologia e botânica. Três anos depois, ele retornou a Brünn e passou a ensinar ciências naturais. Ele continuou a dar aulas até 1868, quando foi eleito abade do monastério. Ele nunca passou no exame de professor.

UM FASCÍNIO POR PLANTAS

A pesquisa que renderia a Mendel um lugar de destaque na história da ciência começou no pequeno jardim do monastério de Brünn, em 1856. Seu interesse surgira do contato com o pomar da fazenda de seu pai. Ele era fascinado por plantas e frequentemente pensava sobre como era possível apresentarem características atípicas. Lamarck havia sugerido que as plantas seriam influenciadas pelo meio ambiente, e Mendel queria pôr essa teoria à prova. No jardim do monastério, encontrou uma variedade atípica de uma planta ornamental. Ele a replantou ao lado de uma variedade típica e estudou suas descendentes. Estas mantiveram os traços fundamentais das progenitoras, o que significava que o meio ambiente não explicava a questão. Esse teste simples colocou Mendel no caminho que o levaria a descobrir as leis da hereditariedade.

ERVILHAS DE JARDIM

Encorajado, Mendel lançou-se a uma longa e rigorosa série de experimentos com ervilheiras, fazendo uso de uma estufa no jardim do monastério. Primeiro, passou dois anos preparando seus espécimes – sete variedades de ervilheira – para garantir que suas linhagens fossem puras. Cada qual foi cultivada por uma característica em especial, como altura maior ou menor, diferentes cores de semente ou formatos de vagem, e a posição das flores no caule. O pesquisador então cruzou essas variedades repetidas vezes – chegando a um total de 30 mil ervilheiras.

Os experimentos que Mendel fez com ervilheiras duraram ao todo sete anos, devido à sua determinação de ser o mais exato possível. Ele se esforçou ao máximo para evitar uma fertilização cruzada acidental e anotava meticulosamente todas as mínimas variações nas linhagens das plantas.

Seus experimentos diferiram de pesquisas anteriores em duas questões fundamentais. Em primeiro lugar, em vez de atentar às características da planta como um todo, Mendel focava traços individuais, claramente identificáveis, como sementes lisas em oposição às rugosas, ou flores púrpuras em contraposição às brancas. Em segundo lugar, ele contou exatamente o número de plantas que apresentava cada aspecto avaliado. Esses dados quantitativos permitiram-lhe vislumbrar proporções e padrões estatísticos que haviam escapado a seus antecessores.

Mendel observou que a primeira geração de híbridos (plantas de linhagens cruzadas) apresentava apenas as características de um dos progenitores. Por exemplo, o cruzamento de plantas cujas ervilhas eram amarelas com aquelas de ervilhas verdes gerava ervilhas amarelas, e o cruzamento de ervilheiras de caule longo com outras de caule curto dava origem a plantas de caule longo. O pesquisador pôde então concluir que certas características, como ervilhas amarelas e caule comprido, eram dominantes, enquanto outros atributos, como ervilhas verdes e caule curto, eram recessivos. A princípio, parecia que os traços dominantes consumiam ou destruíam os recessivos, mas Mendel viu que não era isso que ocorria quando observou que a segunda geração de híbridos apresentava tanto as características dominantes quanto as recessivas, de seus "avós". Ademais – e foi aqui que a estatística de Mendel mostrou-se decisiva –, as características reapareciam em proporções semelhantes. Cerca de três quartos das ervilheiras de segunda geração apresentavam o traço dominante, enquanto um quarto, o recessivo.

Mendel concluiu que cada planta progenitora detinha um par de "fatores" determinantes para cada característica – um par de características de altura de caule (comprido ou curto), cor da ervilha (amarela ou verde) e assim por diante. Ele percebeu que esses pares de fatores eram transmitidos durante a reprodução e que uma característica do par podia por vezes predominar sobre a outra. O que Mendel chamou de "fatores" hoje conhecemos como genes, embora o termo só tenha sido cunhado em 1909.

O cientista deduziu que esses fatores não se somavam nem se misturavam um com o outro – o cruzamento entre ervilheiras de sementes amarelas e verdes não gerava ervilhas verde-amarelas – e sim permaneciam puras e fixas. Quando a planta híbrida formasse suas células reprodutivas (gametas), os genes se dividiriam e integrariam diferentes gametas. Assim, uma linhagem herda de um dos ascendentes uma ou outra característica, mas nunca ambas. Essa é conhecida como a primeira lei de Mendel, ou o princípio da segregação dos fatores. Aplicando essa lei a diversas gerações, ele foi capaz de prever com exatidão o número de descendentes com cada característica.

Mendel (primeiro sentado à esq.) com monges do monastério de Brünn

PUBLICANDO DESCOBERTAS

Oito anos após ter iniciado essa pesquisa, Mendel apresentou os resultados de seus experimentos em dois artigos levados a reuniões da Sociedade de Ciência Natural de Brünn, em fevereiro e março de 1865. As cerca de 40 pessoas da plateia escutaram de maneira cortês, mas nenhum presente pareceu reconhecer o quanto as descobertas eram inovadoras. Seu método era simplesmente muito incomum para ser valorizado. Ninguém antes dele tentara usar matemática e estatística como forma de entender e prever processos biológicos. Mendel ainda por cima era um sujeito tímido, que se sentia mais à vontade no seu jardim do que em uma salão de conferências.

A Sociedade publicou o artigo de Mendel, "Experimentos em hibridação de plantas", em 1866, e ele foi enviado a todas as grandes bibliotecas da Europa, mas, ainda assim, o trabalho teve pouco ou nenhum impacto. Em uma tentativa de conseguir maior reconhecimento para sua teoria, o pesquisador pediu a um amigo monge que enviasse reimpressões de seu artigo a 40 eminentes botânicos e cientistas. De todos, apenas um demonstrou algum tipo de interesse verdadeiro. Era o suíço Karl Wilhelm von Nägeli, uma botânico de renome. Contudo, Nägeli ou não leu o trabalho inteiro, ou não foi capaz de entender sua importância. Ele alertou Mendel de que seu trabalho estaria incompleto – muito embora tivesse estudado mais de 300 linhagens híbridas e um total de 30 mil plantas – e enfatizou que ele deveria continuar com seus experimentos.

Mendel continuou suas investigações em botânica e em outras matérias que o interessavam, incluindo abelhas, ratos e manchas solares, até sua morte, em 1884. Entretanto, com sua indicação para o posto de abade em 1868, ele não teria mais tanto tempo para a ciência. Também é possível que ele tenha se desencorajado pela falta de reconhecimento por suas conquistas. Contudo, talvez Mendel pressentisse que sua hora chegaria. Em 1883, poucos meses antes de morrer, comentou: "Meus estudos científicos renderam-me grande contentamento; e estou convicto de que não demorará até que o mundo todo reconheça os frutos do meu trabalho".

RECONHECIMENTO PÓSTUMO

A previsão de Mendel concretizou-se em 1900. Naquele ano, três botânicos europeus, Carl Erich Correns, Erich Tschermak von Syseegg e Hugo de Vries, cada um trabalhando de modo independente, obtiveram resultados que mostravam como a hereditariedade das plantas era regida por um conjunto de leis básicas. Pesquisando os antigos registros científicos, eles descobriram que um monge-cientista quase esquecido já havia publicado essas leis 34 anos antes. Enfim o trabalho de Mendel era reconhecido. As leis de Mendel foram testadas e confirmadas por completo. Descobriu-se também que elas tinham aplicabilidade geral, não apenas no reino das plantas, mas de todos os organismos, incluindo seres humanos. Os cientistas continuaram a empregar os métodos estatísticos, nos quais Mendel foi pioneiro, para explorar o complexo universo da herança genética.

A ciência da genética transformou a nossa vida. Hoje, cientistas mapearam o genoma humano, clonaram animais, cultivaram alimentos geneticamente modificados e têm o caminho aberto para eliminar doenças genéticas. É incrível que essa imensa revolução no conhecimento tenha sido iniciada por um monge e suas ervilhas no jardim de um monastério tendo como principais recursos a paciência e a exatidão.

Mendeleyev previu a existência de elementos químicos com grande precisão

Dmitri Mendeleyev

1834–1907

O MUNDO EM ESTADO DE ORDEM

"É PAPEL DA CIÊNCIA DESCOBRIR A EXISTÊNCIA DE UM REINO GERAL DE ORDEM NA NATUREZA", DISSE O CIENTISTA RUSSO QUE ORGANIZOU A QUÍMICA NA TABELA PERIÓDICA DOS ELEMENTOS

É difícil subestimar a importância dessa conquista no avanço da química como ciência. Antes da tabela de Mendeleyev, a matéria era caótica. Novos elementos eram descobertos, mas havia pouca coerência nos símbolos e abreviações empregados, e ninguém conseguia pensar numa forma de organizar os elementos para que sua sequência fizesse sentido. A tabela periódica de Mendeleyev estabeleceu uma ordem e uma clareza que transformaram o estudo de química. Além disso, observando os espaços vazios deixados na tabela, nota-se que Mendeleyev foi capaz de prever a descoberta de novos elementos com extraordinária precisão.

PRIMEIROS ANOS

Dmitri Ivanovich Mendeleyev nasceu em 1834, em Tobolsk, no extremo oeste da Sibéria, na Rússia. Ele era o mais novo de 14 irmãos. Seu pai, Ivan, era diretor de uma escola local, mas ficou cego pouco tempo depois do nascimento de Dmitri e foi forçado a se aposentar. A mãe, Maria Kornileva, não teve escolha senão deixar a casa para ir trabalhar. Sua família era dona de uma vidraria em Aremziansk, e ela começou a administrá-la em troca de um salário modesto.

Dmitri frequentou a escola local, mas recebeu também formação prática na fábrica de vidros de sua mãe, onde ele passava horas escutando o químico e o vidreiro debaterem os segredos da fabricação de vidro.

Em 1847, seu pai faleceu e, no ano seguinte, a vidraria foi consumida por um incêndio. A família ficou à míngua. Contudo, a notável Maria não abriria mão dos sonhos que tinha para o filho. Em 1849, ela pegou carona com Dmitri e com sua outra filha ainda pequena, Elizabeth, até Moscou – uma jornada de 2 mil quilômetros – na esperança de assegurar um lugar para ele na universidade. Enquanto siberiano, porém, Dmitri foi impedido de entrar na Universidade de Moscou.

Irrefreável, Maria seguiu com o filho e a filha por mais 600 quilômetros, até São Petersburgo. Ali, novamente, foi negado ao garoto acesso à universidade. Finalmente, em 1850, ofereceram-lhe uma vaga no Instituto Pedagógico. Apenas dez semanas se passaram até que Maria morresse, exaurida de tanto esforço. Pouco tempo depois, a irmã de Mendeleyev sucumbiu à tuberculose.

O JOVEM QUÍMICO

Apesar das tragédias, Mendeleyev aplicou-se de maneira diligente aos estudos e, em 1855, aos 21 anos, qualificou-se como professor, sendo o primeiro da sala. Essa conquista se tornava ainda mais admirável diante do fato de que ele ficara acamado com turbeculose durante a maior parte do último ano. Com um diploma de estudos avançados em química, em 1857 ele recebeu a primeira indicação para um cargo universitário.

O governo russo decidira investir em ciência e tecnologia e, em 1859, financiou para que diversos cientistas, incluindo Mendeleyev, fossem estudar na Europa. Mendeleyev passou dois anos em Heidelberg e Paris. Nesse meio-tempo, ele expandiu seus conhecimentos em matérias como a densidade dos gases, os métodos de determinação da composição química das substâncias e os pesos atômicos – elementos que teriam grande influência sobre seu trabalho posterior.

Em 1861, de volta a São Petersburgo, o cientista publicou *Química orgânica*, um premiado compêndio. Em 1867, foi alçado ao posto de docente na Universidade de São Petersburgo – a instituição que o rejeitara 17 anos antes. Percebendo que lhe faltava um compêndio para satisfazer suas necessidades didáticas, Mendeleyev começou a escrever *Os princípios da química* (1869), que se tornaria uma obra clássica.

ORGANIZANDO OS ELEMENTOS

Escrevendo esse livro, Mendeleyev deparou com a descoberta que o levaria em direção a sua maior conquista e transformaria a disciplina da química: a tabela periódica. Durante a escrita, o cientista perguntava-se se haveria alguma ordem lógica na qual seria possível discorrer sobre os elementos. A essa altura, cerca de 70 elementos químicos distintos haviam sido identificados, mas não existia um sistema que os ordenasse. Diversas tentativas haviam sido empreendidas, porém nenhuma obtivera sucesso. Algumas tentaram fazer a organização com base em suas propriedades: metais, gases e assim por diante, mas isso era visto como simplista. De maneira mais promissora, alguns cientistas tentaram fazer a ordenação por peso atômico.

Em março de 1866, um inglês produtor de açúcar e químico amador, John Newlands, apresentou um artigo à Sociedade de Química com a própria sugestão de como pôr os elementos em ordem. Ele havia notado que, quando os elementos eram arranjados em ordem crescente de peso atômico, todo oitavo elemento se relacionava, ou tinha propriedades similares, ao primeiro elemento do grupo. Os elementos, concluiu ele, eram múltiplos de oito, como as notas musicais. Assim, ele batizou seu sistema de "lei das oitavas". Talvez pelo fato de ser um amador, sua proposta foi recebida com escárnio geral. Um químico perguntou se ele conseguia fazer seus elementos tocarem alguma melodia. O que nenhum deles percebeu foi que Newlands chegara muito perto. Seu sistema tinha algumas falhas, mas, se tivesse tido tempo e o devido incentivo, poderia tê-las solucionado. Mas, desencorajado, aposentou-se da química. Em 1867, conforme trabalhava em *Os princípios da química*, Mendeleyev ficara alheio a esses esforços. Ele queria apenas resolver a questão de seu livro.

A TABELA PERIÓDICA

Mendeleyev viria a comentar que se inspirara no jogo de baralho conhecido como paciência, no qual as cartas são organizadas por naipe, horizontalmente, e por número, verticalmente, para compor sua tabela periódica. O cientista dispusera os elementos em fileiras horizontais chamadas períodos e colunas verticais chamadas grupos. Isso demonstrava determinado conjunto de relações quando a tabela era lida de um lado para outro – os elementos foram arranjados da esquerda para a direita em número crescente de peso atômico – e um outro conjunto de relações quando era lida de cima para baixo, e vice-versa – as colunas agrupavam elementos com valências e propriedades semelhantes (metais e gases, por exemplo).

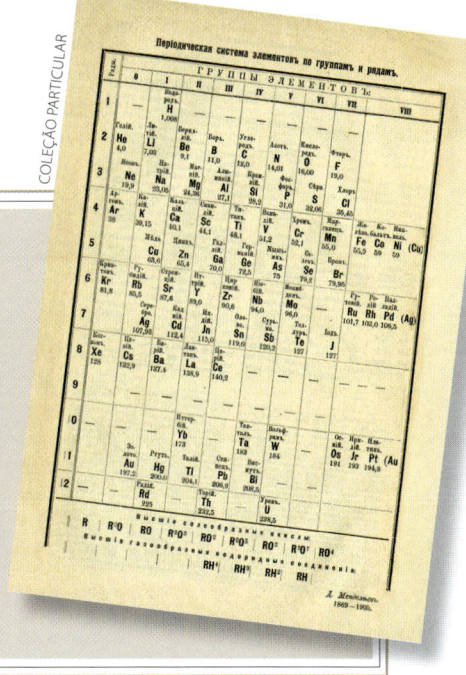

Ele se perguntava se poderia haver uma relação entre pesos atômicos e as propriedades dos elementos. Tentou ordená-los por número atômico e começou a perceber um padrão. Da mesma forma que Newlands, ele observou que as propriedades se repetiam periodicamente – daí o nome tabela periódica.

Todavia, à diferença de Newlands, Mendeleyev alocou seus elementos em grupos de sete, mas a base do esquema era essencialmente a mesma. Ele conseguiu dar suporte à sua concepção com informação e foi confiante o suficiente para revisar o peso atômico de alguns elementos quando sua proposta exigiu. À medida que a tabela se desenvolveu, novas relações químicas inesperadas foram reveladas. Em 1869, Mendeleyev já reunira mais de 60 elementos e fez, então, uma apresentação formal de sua tabela para a Sociedade de Química da Rússia.

PREVENDO NOVOS ELEMENTOS

O novo sistema não alcançou aceitação imediata. Sua grandiosidade só ficaria evidente com o passar do tempo. A tabela tinha buracos, mas Mendeleyev previu que esses espaços seriam preenchidos por elementos ainda não descobertos. Em novembro de 1870, ele chegou até mesmo a descrever as propriedades de três deles, os quais ele nomeou eka-alumínio, ekaboro e ekassilício. Nos 16 anos seguintes, todos os três foram desvelados e nomeados, respectivamente, gálio (1875), escândio (1879) e germânio (1886) – e correspondiam de maneira muito próxima às previsões do cientista.

Essas previsões, em conjunto com a tabela, renderam a Mendeleyev renome internacional. Com o tempo, novos elementos foram descobertos e verificou-se que se encaixavam perfeitamente no esquema. Hoje, a tabela periódica contém 90 elementos encontrados na natureza, e cerca de outros 24 criados em laboratório. O químico continuou a lecionar na universidade pelos 20 anos seguintes e era um palestrante entusiástico e popular, famoso por seu cabelo e barba revoltos, que, segundo boatos, seriam aparados apenas uma vez ao ano.

Mendeleyev interessava-se também por política, e seu ativismo trouxe-lhe problemas com o governo, forçando-o a deixar seu posto em agosto de 1890. Entretanto, o governo viu-se obrigado a encontrar um novo emprego para ele. Em 1893, ele foi nomeado diretor do Instituto de Pesos e Medidas russo, posição que ocupou até a morte.

Dmitri Mendeleyev foi um homem que viveu para seu trabalho. Como ele mesmo afirmou: "Procure paz e sossego no trabalho: você não vai encontrá-los em nenhum outro lugar. Os prazeres passam voando – eles só servem a você mesmo; o trabalho deixa uma marca de alegria duradoura, o trabalho serve aos outros".

James Clerk Maxwell
1831–1879

ELETRICIDADE E MAGNETISMO

ESSE FÍSICO ESCOCÊS FOI POSSIVELMENTE O MAIOR CIENTISTA DO SÉCULO XIX. SEUS TRABALHOS NAS ÁREAS DE ELETROMAGNETISMO, COMPORTAMENTO MOLECULAR DE GASES E ASTROFÍSICA IMPACTARAM O MUNDO EM QUE VIVEMOS

James Clerk Maxwell nasceu em 1831, em Edimburgo, na Escócia, filho único do advogado John Clerk. Logo após, a família mudou-se para Kirkcudbrightshire. Nesse momento, adicionaram o Maxwell a seus nomes. Lá, James desfrutou de uma criação confortável. Ele recebeu as primeiras lições da mãe, cristã, que morreu quando ele tinha 8 anos. O pai o matriculou na Academia de Edimburgo em 1841.

James era um garoto tímido e foi apelidado de "Dafty" (Bobinho). Então, aos 14 anos, ele surpreendeu e, de súbito, revelou sua mente brilhante. Redigiu um artigo complexo descrevendo como seria possível desenhar curvas matemáticas com um pedaço de barbante. Suas ideias demonstravam uma percepção aguçada.

Em 1847, aos 16 anos, Maxwell entrou na Universidade de Edimburgo, onde estudou filosofia natural, moral e mental e publicou dois artigos científicos no periódico da Royal Society de Edimburgo. Em 1850, foi aceito em Cambridge para estudar matemática. Graduando-se em 1854 com honrarias de primeira classe, ele recebeu a oferta de um posto no Trinity College, em Cambridge. Nessa época, escreveu dois artigos: "Sobre as transformações de superfícies por flexão" e "Sobre as linhas de força de Faraday". O último mostrava como simples equações matemáticas poderiam representar a relação entre as forças de eletricidade e magnetismo. Assim, ele iniciou a exploração do eletromagnetismo, trabalho pelo qual é mais lembrado.

ANÉIS DE SATURNO

Em novembro de 1856, Maxwell foi nomeado professor de filosofia natural no Marischal College, em Aberdeen. Lá, ficou sabendo de que o tema do Prêmio Adams de 1857 era o movimento dos anéis de Saturno. Era um assunto que o intrigara desde o colégio e ele decidiu competir pelo prêmio. Ele demonstrou que a estabilidade dos anéis só poderia ser atingida se eles fossem feitos de inúmeras partículas sólidas pequenas, em vez de serem completamente sólidos ou líquidos, como muitos segeriam. Seu ensaio ganhou o prêmio.

As conclusões de Maxwell foram corroboradas em 1981 quando a sonda espacial Voyager I tirou fotografias detalhadas dos anéis. Em 1860, o jovem escocês foi nomeado docente de filosofia natural no King's College, em Londres. Durante os cinco anos que passou lá, ele desenvolveu o trabalho mais notável de sua vida.

Cientistas já tinham conhecimento, desde 1820, de que eletricidade e magnetismo estariam ligados de alguma forma. Em uma palestra, o físico dinamarquês Hans Christian Oersted fez uma descoberta notável. Passando uma corrente elétrica por um fio em sua mesa, ele notou que a agulha de uma bússola fora desviada do norte. Compreendeu que a corrente elétrica havia produzido um campo magnético ao redor do fio. Então o cientista inglês Michael Faraday pôs-se a questionar se o contrário poderia ser verdade – será que o magnetismo podia, de alguma forma, produzir eletricidade? Em 1831, Faraday provou que sim, mostrando que, quando um fio se movia dentro de um campo magnético, uma corrente elétrica correria por esse fio. Esse efeito é conhecido como indução eletromagnética e constitui o princípio necessário para o funcionamento de geradores e dínamos elétricos.

O inglês aprofundou suas pesquisas e desenvolveu algumas teorias acerca da conexão entre eletricidade e magnetismo, mas não conseguiu completar o trabalho. Maxwell aceitou o desafio e passou a procurar uma explicação para a relação existente entre as duas forças. Ele logo percebeu que eletricidade e magnetismo eram apenas expressões alternativas que designavam um mesmo fenômeno – o eletromagnetismo. Maxwell provou o conceito produzindo ondas elétricas e magnéticas que se interseccionavam a partir de uma corrente elétrica. Maxwell exprimiu isso em termos matemáticos por meio de quatro equações relacionadas, hoje referidas conjuntamente como as "equações de Maxwell", que ele apresentou à Royal Society em 1864.

As equações mostraram que as ondas elétricas e magnéticas se propagavam a uma velocidade muito próxima à da luz (300 mil km/s). Isso o levou a uma conclusão importante: a própria luz seria uma forma de onda eletromagnética. Essa conexão que fizera entre luz e eletromagnetismo se tornaria uma das pedras fundamentais na história da física. Ainda, ele sugeriu que poderiam existir outros tipos de ondas eletromagnéticas, com diferentes comprimentos de onda, o que foi verificado em 1887 – oito anos depois da morte de Maxwell –, quando o físico alemão Heinrich Hertz produziu as primeiras ondas de rádio inteiramente feitas pelo homem. Em 1895, a descoberta dos raios X forneceria confirmação adicional às teorias do escocês.

Em 1865, Maxwell retornou à Escócia e fixou residência em Glenlair. Sua atenção voltou-se para a questão do comportamento dos gases. O físico inglês James Joule, em 1840, havia descoberto que o calor era resultante da movimentação das moléculas. Isso deu origem a uma disciplina científica chamada termodinâmica, que incluiria o estudo da forma como moléculas de gases se movimentariam. Oito anos depois, Joule estimou a velocidade das moléculas de gás. Entretanto, ele presumiu que todas as moléculas viajariam à mesma velocidade, mas na verdade a velocidade das moléculas variaria muito conforme estas sofressem colisões com outras moléculas.

Maxwell compreendeu que seria impossível calcular a verdadeira velocidade e posição de cada molécula de gás em cada ponto do tempo. Ele percebeu, porém, que poderia estimar a distribuição (isto é, velocidade e posição) "provável" das moléculas em diversos pontos do tempo. Essa aplicação de probabilidade à atividade molecular era revolucionária e oferecia a melhor explicação para o comportamento de gases até então obtida. O cientista apresentou sua teoria em 1866, e ela ficou conhecida como a teoria cinética dos gases de Maxwell-Boltzmann (Boltzmann era um físico austríaco que chegara às mesmas conclusões). Na década de 1870, Maxwell foi convidado a se tornar catedrático de física na Universidade de Cambridge. Ele manteve o posto até sua morte, por câncer abdominal, em novembro de 1879, aos 48 anos.

O LEGADO

Quando olhamos para a vasta gama de realizações de Maxwell, é difícil imaginar que toda ela foi fruto do esforço de um só homem. Seus trabalhos em campos tão diversos quanto eletromagnetismo, comportamento molecular de gases, teoria das cores e astrofísica foram extremamente inovadores e permitiram o desenvolvimento de muitas das tecnologias atuais. De todas as suas conquistas, sua contribuição no campo do eletromagnetismo foi indubitavelmente a maior. Seu livro *Eletricidade e magnetismo* (1873) permanece como um clássico das ciências.

O nome de Maxwell não é prontamente lembrado como o de Newton e Einstein – em parte porque o escocês não estava vivo quando a relevância de sua produção se tornou evidente –, mas muitos consideram que seu trabalho se encontra em pé de igualdade com o desses cientistas famosos. Homem modesto, Maxwell conquistou a felicidade apenas com seu trabalho. Como ele mesmo disse em 1860: "Nós, como seguidores dos ensinamentos de grandes professores da ciência, devemos, em algum grau, viver também a mesma sede de conhecimento e a mesma alegria em alcançar a sabedoria que os encorajou e animou".

Max Plank em foto de 1933, em Berlim

Max Planck
1858–1947

A REVELAÇÃO DOS QUANTA

A CURIOSIDADE ACERCA DAS LEIS DA NATUREZA FEZ COM ESSE FÍSICO TEÓRICO SE DEPARASSE COM UM CAMPO COMPLETAMENTE NOVO: A TEORIA QUÂNTICA, QUE TRANSFORMARIA NOSSA COMPREENSÃO DO UNIVERSO SUBATÔMICO

Max Planck nasceu em 23 de abril de 1858, em Kiel, na Alemanha, filho de Julius Wilhelm e Emma Planck. Julius era um renomado professor de direito constitucional e incutiu nos filhos o gosto pelo estudo e o respeito às instituições. Em 1867, quando Max tinha 9 anos, Julius foi nomeado professor na Universidade de Munique. Lá, seu filho teve bom desempenho nos estudos, mas não foi brilhante. Ele não demonstrava aptidão notável em ciências ou matemática. Parecia ter mais futuro na música, revelando-se um pianista e organista talentoso.

No final de sua educação escolar, no entanto, Max começou a demonstrar interesse profundo em física e matemática. Por intermédio de um professor a quem ele se ligou, Hermann Müller, aprendeu sobre a lei da conservação de energia – a primeira lei da termodinâmica. Impressionou-se com a ideia de o mundo ser regido por leis absolutas da natureza.

Quando foi aprovado no exame final, em 1874, aos 16 anos, Max ainda não tinha uma ideia clara do que queria fazer da vida. Suas três opções pareciam ser música, matemática e física. Ele discutiu a questão com um músico que lhe disse que, se ele estava em dúvida, era melhor que fosse fazer outra coisa. Então decidiu estudar matemática e física. Ele conversou com seu professor de física, Philipp von Jolly, sobre a possibilidade de dedicar a vida àquele campo, mas o professor o desaconselhou firmemente, afirmando que não havia mais descobertas a fazer na área.

Nos últimos anos do século XIX, a maior parte dos cientistas acreditava que os mistérios do mundo físico – incluindo as leis que regiam movimento, gravidade, eletricidade e magnetismo, gases, óptica e muitas outras coisas – haviam sido desvendados. Eles previam que, no século seguinte, a física se concentraria mais em consolidar o conhecimento já existente.

Apesar dessas considerações, Planck decidiu se tornar um físico teórico. A decisão foi baseada em sua crença de que a razão proporcionava aos seres humanos uma maior compreensão do funcionamento do mundo. Em 1877, ele terminou os estudos na Universidade de Berlim e obteve o título de doutor em 1879, com apenas 21 anos, com uma tese sobre a segunda lei da termodinâmica. Em 1885, aos 27 anos, foi nomeado professor associado de física teórica na Universidade de Kiel. Esse emprego deu-lhe estabilidade financeira suficiente para sair de casa e desposar Marie Merck, filha de um banqueiro de Munique. Eles se casaram em 1887, um ano antes de assumir o posto de professor na Universidade de Berlim, onde ficou até sua aposentadoria, em 1927.

Em Berlim, o jovem elaborou seus trabalhos mais importantes em física teórica. Investigou como os materiais mudam entre os estados sólido, líquido e gasoso. Pesquisou também a condução de eletricidade em soluções líquidas (eletrólise). Com isso, conseguiu encontrar explicações para as leis que regem os diferentes pontos de congelamento e ebulição de diversas soluções.

PESQUISA SOBRE RADIAÇÃO

Em meados da década de 1890, Planck voltou-se para a questão da irradiação da energia por substâncias aquecidas. Físicos estavam cientes de que todo corpo irradia calor em todas as frequências – embora a radiação máxima seja emitida apenas em certa frequência, que depende da temperatura do corpo.

Quanto mais quente o corpo, mais alta a frequência para máxima radiação. (Frequência é a taxa por segundo de uma onda de qualquer forma de radiação.) O cientista queria verificar se esse processo era regido por uma lei universal. Era difícil obter medidas precisas de coisas como radiação e frequência no laboratório porque corpos quentes comportam-se de maneira irregular, então Planck passou a fazer uso de um "corpo negro", um objeto hipotético que absorve completamente e depois reemite toda a radiação que incide sobre ele. Começou a analisar a "distribuição espectral de energia" do corpo negro – a curva que mostra a quantidade de radiação emitida por ele em diferentes frequências para dada temperatura. Em 1896, Wilhelm Wien, membro da equipe do Instituto Imperial de Física e Tecnologia, de Berlim, propôs

Planck entrega a medalha Max Planck a Einstein, na Sociedade Alemã de Física, em 1929

Foto colorizada da Conferência de Solvay, em 1927: Planck [1], Marie Curie [2], Einstein [3], Heisenberg [4] e Bohr [5], entre outros cientistas

uma fórmula que parecia se encaixar na distribuição espectral de energia dos corpos com os quais Planck havia feito experimentos. Nos anos seguintes, ele fez uma série de tentativas de adequação daquela fórmula aos próprios experimentos teóricos no corpo negro. Em 1900, obteve sucesso.

Contudo, as medições mostraram que, enquanto a fórmula de Wien era válida em altas frequências, ela caía por terra nas baixas. Ao mesmo tempo, dois físicos ingleses, o barão de Rayleigh e James Jeans, chegaram a uma nova fórmula que funcionava em baixas, mas não em altas frequências. Planck tomou conhecimento dessa discrepância em outubro de 1900 e logo buscou solução para o problema.

Haviam duas fórmulas, ambas aplicáveis, mas em frequências diferentes. A solução, pensou ele, seria combinar as duas em uma só fórmula que funcionasse em todas as frequências. Rapidamente, o cientista encontrou sua fórmula: a distribuição espectral de energia de um corpo negro poderia ser expressa por meio de uma multiplicação direta da frequência por determinado número, que ficou conhecido como "constante de Planck" ($6,6256 \times 10^{-34}$).

A nova fórmula, conhecida como lei da radiação de Planck, foi aclamada por seus colegas físicos como indubitavelmente correta. Entretanto, seu criador a via como um "golpe de sorte" – algo planejado para se adequar a resultados de experimentos. Para ser levada a sério, precisaria de uma fundamentação teórica. Depois de dois meses de trabalho compenetrado, ele conseguiu isso. Apresentou seu relatório em um encontro da Sociedade Alemã de Física, em 14 de dezembro de 1900.

TEORIA QUÂNTICA

Havia um problema. A nova lei da radiação de Planck contradizia completamente uma premissa básica da física sobre a natureza da energia. Segundo a lei, a energia liberada (e) por um corpo quente é igual à frequência da radiação (n) multiplicada pela constante de Planck (h). Isso pode ser expresso por meio da fórmula $e = hn$. Aqui, h é um número muito pequeno, tendendo a zero, mas que tem um valor finito. Em outras palavras, $e = hn$ parecia implicar que a energia era liberada em porções ínfimas e indivisíveis, às quais Planck chamava de *quanta* (plural de *quantum*). Essa era uma noção revolucionária. Até então, sempre se presumira que a energia era liberada em um fluxo contínuo. De uma hora para outra, os físicos tiveram de se acostumar com a ideia de que o universo microfísico – o mundo dos átomos – não poderia ser descrito nos termos da física clássica. Introduzindo a ideia de *quantum*, Planck abrira a porta para um novo campo – a física quântica.

Planck e seus contemporâneos não compreenderam imediatamente o caráter revolucionário da teoria quântica, que apenas ficaria evidente após 1905, quando Einstein provou que a luz – outra forma de energia – também era emitida em *quanta*, posteriormente chamados de fótons.

Aos poucos, outros cientistas começaram a desenvolver trabalhos nessa área. O matemático francês Jules-Henri Poincaré provou matematicamente que os *quanta* eram indispensáveis à lei da radiação de Planck, enquanto o físico dinamarquês Niels Bohr, com sua teoria quântica do átomo de hidrogênio, demonstrou que a constante de Planck era a chave para a compreensão dos processos atômicos. Em 1911, a teoria quântica já encabeçava as pesquisas de física. Na década de 1920, ela forneceu as bases da mecânica quântica, que investigava as propriedades de átomos e moléculas.

Max Planck já tinha 42 anos quando desvelou a teoria quântica, idade em que a maioria dos físicos já executou seus melhores trabalhos; então os demais progressos na área foram deixados a cargo de mentes mais jovens.

Ironicamente, ele foi um dos últimos a aceitar por completo as implicações da teoria que criara. Ele adorava o mundo ordenado e lógico da física clássica. A teoria quântica, por outro lado, parecia denotar um universo microfísico de paradoxos e incertezas. A luz, por exemplo, podia se comportar como onda ou como partícula (fóton), dependendo do tipo de experimento.

ÚLTIMOS ANOS E LEGADO

Após 1900, Planck continuou a contribuir com pesquisas em vários campos, incluindo óptica, termodinâmica e química física. Em 1918, recebeu o Prêmio Nobel de Física pelo desenvolvimento da teoria quântica. Contudo, seus últimos anos foram marcados por tragédias. Em 1909, sua esposa, Marie, faleceu, deixando Planck com dois filhos, Karl e Erwin, e as gêmeas, Margrete e Emma. Karl foi morto em combate na Primeira Guerra Mundial, em 1916. No ano seguinte, Margrete morreu no parto. Em 1919, Emma morreu sob as mesmas circunstâncias da irmã. Em 1944, a casa de Planck em Berlim foi atingida por bombas dos Aliados, e muitos de seus escritos científicos foram destruídos. Naquele mesmo ano, Erwin foi acusado de participar do complô para assassinar Hitler e executado. Depois da guerra, Planck mudou-se para Göttingen, onde morreu, em 1947, aos 89 anos. Max Planck revolucionou nossa compreensão do mundo microfísico e apoiou o trabalho de físicos mais novos, incluindo Einstein. A ciência tem a sorte de ele ter ignorado o conselho de seu professor.

O trabalho de Planck sobre radiação, baseado em complexas equações matemáticas, revolucionou a compreensão do mundo microfísico

A ENTROPIA

Planck era fascinado pela segunda lei da termodinâmica. Essa lei, formulada por Clausius em 1850, lida com o conceito de entropia, que é uma medida da "desordem" de um sistema. Ela afirma que, em todos os processos naturais, a entropia do mundo sempre aumenta. Como exemplo disso, tem-se que, se uma xícara de chá quente é colocada em uma sala fria, há uma distribuição desigual de calor (ou energia) na sala; isso causa uma passagem de energia da xícara para a sala, até que chá e sala estejam à mesma temperatura. Em outras palavras, uma força agiu para minimizar o desequilíbrio de energia e maximizar a entropia.

Marie Curie

1867–1934

A MAIOR DAS CIENTISTAS

SUAS PESQUISAS COM RADIAÇÃO LHE VALERAM O PRÊMIO NOBEL DE FÍSICA DE 1903, EM CONJUNTO COM O MARIDO E COLEGA DE TRABALHO, PIERRE, E O PRÊMIO NOBEL DE QUÍMICA EM 1911. MAS ELA AINDA LUTOU PELA PAZ

Hoje em dia, a palavra "radioatividade", por si só, já causa temor. As associações imediatas são com guerra nuclear, envenenamento radioativo e câncer. Sem saber de suas propriedades letais, Marie Curie lançou-se a pesquisas obstinadas sobre o tema. Seu progresso é ainda mais notável quando consideramos que a sociedade não via com bons olhos as mulheres que trabalhavam nesse campo, e a sua vida atravancada por dificuldades financeiras, saúde debilitada e tragédias pessoais.

PRIMEIROS ANOS

Marie nasceu em Varsóvia, na Polônia, em 7 de novembro de 1867, batizada como Marya Sklodowska (ela alterou seu nome para Marie quando se mudou para a França). Sua luta contra tragédias pessoais, que duraria a vida toda, começou quando tinha 7 anos e a irmã Zofia morreu de tifo. Apenas quatro anos depois, a mãe morreu de tuberculose. Marie transformou-se em uma criança séria e estudiosa e, aos 18 anos, estava determinada a ir à universidade para estudar física. Como mulher, porém, ela era impedida de frequentar o ensino superior na Polônia e, então, planejou ir à Sorbonne, em Paris.

A família tinha pouco dinheiro, então Marie fez um acordo com sua irmã Bronia. Marie trabalharia como governanta para financiar a ida dela à universidade e, mais tarde, quando Bronia fosse qualificada, pagaria pelos estudos da irmã. Marie passou oito longos e frustrantes anos como governanta, até novembro de 1891, quando finalmente embarcou num trem para Paris.

Marie Curie em 1898

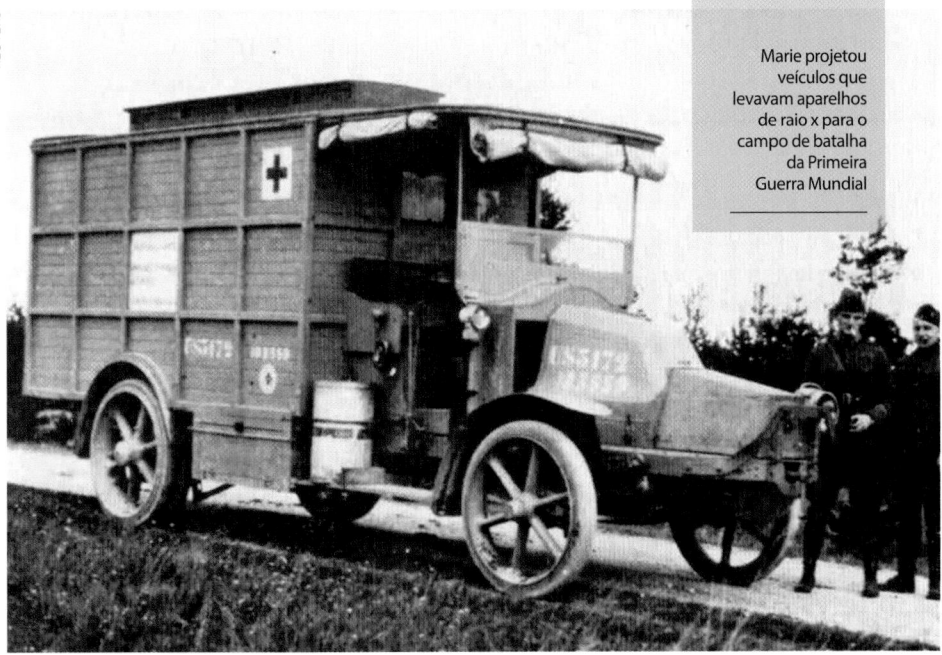

Marie projetou veículos que levavam aparelhos de raio x para o campo de batalha da Primeira Guerra Mundial

PARIS, ENFIM!

Paris era uma cidade empolgante, e poder se dedicar ao aprendizado de tudo quanto houvesse no campo da física representava, para Marie, a própria liberdade. Os laboratórios da Sorbonne eram bem equipados e administrados por alguns dos cientistas mais respeitados da época. Embora a jovem fosse apenas mais uma entre as poucas mulheres que lá estudavam ciências, ela se sentia em casa. Em 1893, formou-se em física como primeira da turma.

Dois anos mais tarde, obteve um segundo diploma, dessa vez em matemática. Em 1894, conheceu Pierre Curie (1859-1906). O cientista quieto e sério, docente na Escola de Física da Sorbonne, era o par perfeito para Marie. Apesar de dedicado à sua profissão, ele ficava em casa com naturalidade e adorava estar ao ar livre. Os dois casaram-se já em 1895 e viveram frugalmente num pequeno apartamento em Paris. Em 1897, Marie deu à luz a primeira filha, Irène. No mesmo ano, iniciou sua tese de Ph.D., uma investigação sobre as propriedades do elemento urânio.

RAIOS X E MUITO MAIS

Em 1895, o físico alemão Röntgen havia descoberto os raios eletromagnéticos que ficaram conhecidos como raios X. Em 1896, Becquerel constatou que o sal de urânio produzia o que ele acreditava serem raios similares, assim chamados de "raios de Becquerel". Ele deduziu que aqueles raios eram uma propriedade dos átomos. Essas descobertas abriram um campo de pesquisa inteiramente novo e iniciaram a era nuclear.

Marie começou a própria pesquisa para determinar que elementos produziam "emissões" similares. Ela instalou seu laboratório em um depósito escuro e empoeirado na Escola de Física da Sorbonne. Sem dinheiro para custear suas pesquisas, ela fez uso dos aparelhos de medição do marido, Pierre. Em 1898, cunhou o termo "radioativo" para descrever os elementos que emitiam os raios misteriosos. Finalmente, Marie descobriu que o composto pechblenda produzia mais radioatividade que o urânio, o que a levou a concluir que ele continha um elemento mais radioativo que o urânio ainda desconhecido. A cientista deparou com o maior desafio de sua vida: precisava isolar o elemento para provar ao mundo que ele de fato existia. A questão era tão tentadora que Pierre se juntou à esposa na busca.

Enormes sacos de pechblenda abarrotaram o laboratório. O processamento do material foi uma operação complexa. Primeiro, a pechblenda foi triturada de quilo em quilo e, depois, peneirada, para que fosse então fervida e mexida continuamente durante horas, para formar um líquido que pudesse ser destilado. Ao final, o líquido era eletrolisado até que uma ínfima quantidade do elemento radioativo fosse isolada. O processo era extremamente desgastante, mas Marie continuou a batalhar, determinada a encontrar o componente que ela haveria de nomear em homenagem a sua terra natal. Na primavera de 1898, Marie e Pierre descobriram o polônio. Era um elemento extraordinário, que brilhava no escuro quando misturado à água.

O triunfo dos Curie teve vida curta, pois logo deduziram que a pechblenda continha outro elemento ainda mais radioativo. Seguiu-se mais uma série de dias e noites cansativos, com o casal reclinado sobre recipientes borbulhantes do caldo radioativo. Mais quatro anos se passaram até que a dupla tivesse conseguido extrair uma fração de grama de rádio.

Durante aqueles anos, eles viveram de ninharias. Naquela época, ninguém percebeu o perigo de se trabalhar tão próximo de materiais radioativos, e os incômodos, as dores e a perda de peso de que sofriam eram creditados ao trabalho árduo e à dieta pobre.

UM PRÊMIO NOBEL PARA UMA MULHER!

Em 1903, a Academia da Suécia concedeu o Prêmio Nobel de Física aos Curie e a Becquerel, de modo conjunto. Foi uma homenagem maravilhosa, mas Marie quase ficou de fora da premiação porque muitos dos jurados foram contrários à concessão a uma mulher, propondo que ele fosse dado a Pierre. Nenhum dos Curie estava bem o suficiente para comparecer à cerimônia de entrega. Seu trabalho com elementos radioativos estava tendo um efeito insidioso sobre sua saúde e, em agosto de 1903, Marie sofreu um aborto e levou meses para se recuperar.

O Prêmio Nobel deu a Marie e Pierre fama internacional. O casal tímido fora subitamente jogado sob os holofotes, uma posição que nenhum dos dois apreciava muito. Entretanto, o prêmio lhes trouxe mais dinheiro para as pesquisas. Finalmente os Curie foram trabalhar em laboratórios bem equipados na Sorbonne. No final de 1904, Marie deu à luz outra menina, a quem chamaram Ève.

"Marie Curie está em sono profundo. Ela é uma cientista emparedada por detrás de seu luto." Marguerite Borel, amiga de Marie, escreveu essas palavras em 1910. Em 1906, Pierre fora atropelado por um cavalo e sua carroça e morrera. A fatalidade lançou Marie ao desespero; seu único consolo eram os filhos e o trabalho. Logo após a morte do marido, ofereceram-lhe o posto dele como docente de física na Sorbonne. Ela fez história ao se tornar a primeira mulher a lecionar na universidade.

A radioatividade era o trabalho da vida de Marie. Em 1911, ela recebeu o Prêmio Nobel de Química por sua pesquisa com polônio e rádio. Em 1913, fundou um laboratório de pesquisa de radioatividade que ficaria conhecido como Instituto do Rádio de Paris.

As pesquisas da cientista levavam-na para mais perto do porquê de alguns elementos serem radioativos. Embora Marie nunca tenha encontrado a resposta, ela observava com interesse o trabalho de físicos como o neozelandês Ernest Rutherford, à medida que desvendavam os segredos do átomo, o que, por sua vez, levou a um maior entendimento da radioatividade *(veja quadro)*.

"PEQUENOS CURIE"

Quando a Primeira Guerra Mundial começou, em 1914, Marie removeu o suprimento de rádio de seu laboratório para um cofre bancário. Considerava suas reservas tão preciosas – e perigosas nas mãos erradas – que ela própria assumiu a tarefa de transportá-las. Mais tarde, levantou fundos para um veículo especial (projetado por ela mesma) que poderia carregar o maquinário de raios X para onde era necessário – os campos de batalha. Ao final da guerra, ela já havia fornecido 18 "Pequenos Curie", como essas vans

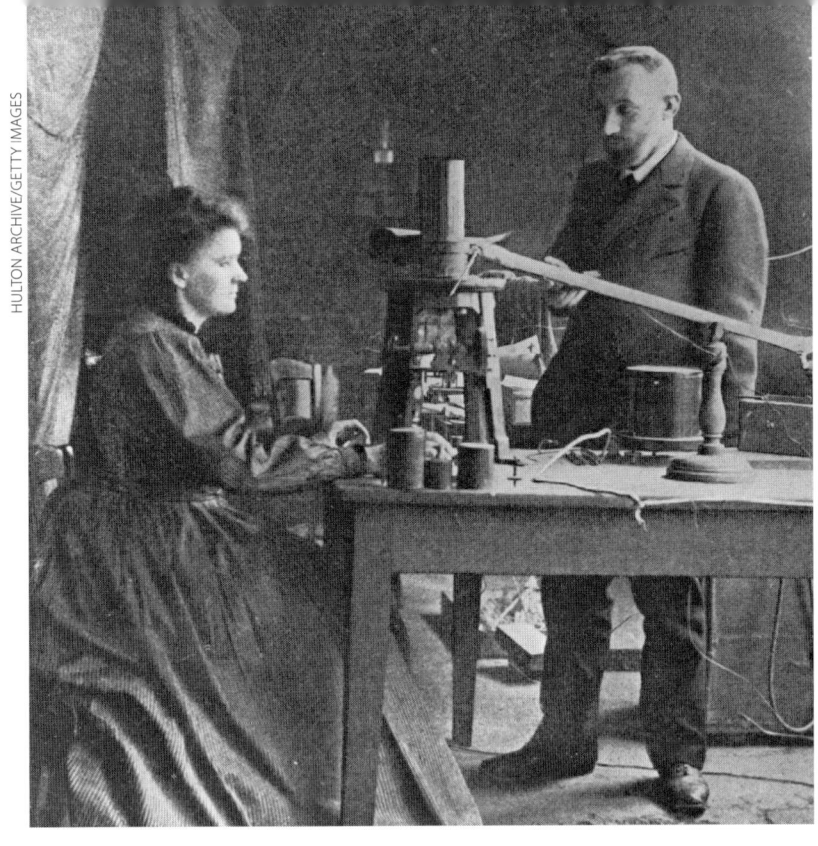

Marie e o marido, Pierre, em seu laboratório: trabalho árduo e perigoso

ficaram conhecidas. Marie operava o equipamento pessoalmente e envolveu-se com o treinamento de outras mulheres para usarem-no.

ÚLTIMOS ANOS

Após a guerra, Marie foi nomeada diretora do Instituto do Rádio de Paris, posição que deteve até a morte, em 1934. Em 1920, ela recebeu a visita da jornalista americana Marie Meloney, que lhe prometeu angariar nos Estados Unidos o dinheiro para que pudesse comprar mais um grama de polônio para auxiliar nas suas pesquisas. Em 1921, a polonesa fez sua primeira viagem àquele país, onde foi recepcionada na Casa Branca pelo presidente Harding e presenteada com um recipiente contendo o precioso elemento.

No final de sua vida, Marie lutou constantemente contra doenças, mas continuava infatigável. Expandiu seu estoque de substâncias radioativas e envolveu-se no treinamento de centenas de novos cientistas. Em 1934, ela foi diagnosticada com leucemia, distúrbio que pode ter sido causado pelo contato com materiais radioativos. Marie morreu em 4 de julho de 1934, aos 66 anos. Em 1995, os restos mortais de Marie e Pierre Curie foram transferidos para o Panteão de Paris, onde jazem ao lado dos maiores heróis da França.

O ÁTOMO

No início do século XIX, cientistas acreditavam que o átomo era uma partícula única e indivisível, mas, em 1900, eles já haviam descoberto que átomos continham elétrons. Foi Ernest Rutherford o pioneiro no verdadeiro entendimento do átomo. Na esteira de seus experimentos com hélio, ele concluiu que o átomo era uma espécie de universo em miniatura, com sua massa concentrada no núcleo. Na sequência, cientistas concluíram que o núcleo continha minúsculas partículas chamadas prótons e nêutrons. Em seguida, descobriram que seria possível liberar energia com a fissão do núcleo. Essa liberação de energia poderia ser utilizada para produzir eletricidade ou para ocasionar imensas explosões. Eles descobriram também que não conseguiriam dividir o núcleo de todos os elementos e que, na verdade, isso era possível apenas com elementos radioativos.

Albert Einstein em sala de aula, em 1930

Albert Einstein

E = MC²

1879–1955

EM 1905, SURGIU UM ARTIGO QUE DESCREVIA A TEORIA ESPECIAL DA RELATIVIDADE. AS IMPLICAÇÕES ERAM TÃO PROFUNDAS QUE PROVOCARAM UMA REVIRAVOLTA NA CIÊNCIA, TRANSFORMANDO AS NOÇÕES SOBRE COISAS COMO ESPAÇO, TEMPO, MATÉRIA, ENERGIA E LUZ

O autor do artigo era o funcionário de um escritório de patentes suíço de 26 anos. O desconhecido se chamava Albert Einstein. Ele não detinha nenhum posto universitário nem tinha acesso a nenhum laboratório ou biblioteca especializada. Suas ideias pareciam vir do nada. Conforme escreveu o físico C. P. Snow, era como se ele "tivesse chegado às conclusões por puro trabalho mental, sem nenhum auxílio". Dez anos depois, Einstein completou essa revolução científica de um homem só com sua teoria da relatividade geral, que oferecia uma nova explicação para a gravidade. A física nunca mais seria a mesma.

PRIMEIROS ANOS

Albert Einstein nasceu em Ulm, na Alemanha, em 14 de março de 1879, e cresceu em Munique. Muito pouco dos primeiros anos de Einstein poderia sugerir que ele estivesse destinado à grandeza. Afirma-se que ele não aprendeu a falar até os 3 anos. O jovem Albert odiava a dura disciplina e os rígidos métodos de ensino da escola. Seus únicos prazeres eram o violino, que ele tocaria pela vida toda, e a matemática. Deixou a escola aos 15 anos, sem um diploma.

Para evitar o exército, Einstein desistiu de sua cidadania alemã e mudou-se para a Suíça. Em Zurique, conseguiu obter um lugar (na segunda tentativa) na Politécnica, para estudar física e matemática. Após a formatura, em 1900, começou a trabalhar como professor substituto de matemática, mas esperava chegar à universidade para prosseguir os estudos. Em 1900 e 1901, inscreveu-se para concorrer a vagas em diversas instituições, sem que nenhuma das tentativas fosse bem-sucedida.

Em 1902, Einstein arranjou um emprego de examinador técnico de terceira classe num escritório de patentes em Berna. O trabalho lhe deu segurança financeira suficiente para se casar com sua noiva húngara, Mileva Marić.

Deixou-lhe também algum tempo livre, que ele empregava no exercício do que descrevia como sua "disposição para o pensamento abstrato e matemático". O jovem começou, então, a contribuir com artigos para um periódico científico alemão, os *Anais de Física*.

O ANO DO MILAGRE

Em 1905, Einstein pareceu alcançar um novo nível de criatividade. Submeteu cinco artigos aos *Anais* naquele ano, todos trabalhos notáveis e de uma percepção aguçada, sendo um deles, sob qualquer ponto de vista, histórico. O primeiro artigo oferecia uma explicação para o efeito fotoelétrico. Em 1921, ele receberia um Prêmio Nobel por esse escrito. O segundo era sobre medição do tamanho de moléculas. Com esse, Einstein obteve seu doutoramento pela Politécnica de Zurique. O terceiro fornecia uma explicação teórica para o movimento browniano – o movimento de minúsculas partículas suspensas em um líquido. O jovem usou cálculos matemáticos para provar que essas partículas se mexiam de um lado a outro porque as moléculas do líquido estavam se movimentando devido à energia do calor e, assim, colidiam com as partículas. Esse artigo foi importante por fornecer mais evidências da existência de átomos.

O quarto artigo que Einstein publicou em 1905, "Sobre a eletrodinâmica dos corpos em movimento", foi o mais significativo. Esse trabalho delineava sua teoria especial da relatividade, ou teoria da relatividade restrita, que propunha que espaço e tempo seriam relativos ao observador. Em outras palavras, a única razão pela qual todos nós sentimos espaço e tempo da mesma forma deve-se ao fato de que todos estamos nos movendo a uma mesma velocidade, uns em relação aos outros. Quando os observadores se movem a velocidades muito diferentes, coisas estranhas começam a acontecer. Por exemplo, se alguém na Terra estivesse observando a passagem de uma nave espacial viajando a uma velocidade próxima à da luz, a nave pareceria estar diminuindo. Se o observador terrestre pudesse medir a massa da espaçonave, ele constataria também que ela teria ficado mais pesada. E, se ele pudesse ver um relógio dentro dela, notaria que o marcador estaria funcionando mais devagar do que os relógios na Terra. Contudo, para o astronauta a bordo da nave, tudo – o comprimento e a massa do veículo, bem como o progresso do tempo – pareceria normal.

A espantosa implicação dessa teoria é que não há os ditos espaço e tempo absolutos – eles dependem da posição e velocidade do objeto que os sente. Isso não havia sido notado antes, porque, nas lentas velocidades de nossa vida banal, as leis da física clássica – que afirmam que espaço e tempo são absolutos – parece correta.

O único absoluto, de acordo com Einstein, é a velocidade da luz, que é a mesma de qualquer forma e onde quer que seja mensurada. O cientista percebeu também que nada podia ir mais rápido do que a velocidade da luz, porque, a essa velocidade, um objeto teria massa infinita, comprimento zero, e o tempo pararia.

$E = MC^2$

Pouco tempo depois de ter enviado seu artigo, Einstein viu uma implicação adicional de sua teoria e passou a trabalhar em um quinto texto. Ele já havia afirmado que, conforme um veículo se aproximasse da velocidade da luz, sua massa aumentaria. Para alcançar esse aumento, é necessário energia para impulsionar o veículo a uma velocidade maior. Em outras palavras, a energia seria transformada em massa.

Assim, o cientista concluiu que massa é simplesmente energia em uma forma diferente. A partir disso, ele chegou a sua famosa equação $E = mC^2$ (energia equivale a massa vezes a velocidade da luz ao quadrado). Essa era uma ideia completamente nova. Entre outras coisas, ela explicava como funcionava a radiação. A equação poderia ser usada para demonstrar por que uma grande quantidade de energia poderia ser emitida por uma pequena porção de material radioativo (por uma eficiente conversão de massa em energia). $E = mC^2$ implicava também que haveria muita energia potencial contida dentro de cada átomo.

A princípio, as teorias de Einstein não atraíram muita atenção. Como um humilde funcionário de escritório de patentes – mesmo com doutorado –, ele carecia de prestígio na comunidade científica. E suas teorias eram tão revolucionárias e estranhas, e as equações utilizadas para alcançá-las, tão complexas, que provavelmente muitos cientistas não as entenderam por completo, ou as rejeitaram como sendo o trabalho de um excêntrico. Ao final, Einstein recebeu uma carta do renomado físico Max Planck, fazendo algumas perguntas sobre relatividade.

Gradativamente, as ideias de Einstein se difundiam. Em 1907, à medida que a reputação do cientista aumentava, ele começou a procurar por um posto universitário para que pudesse continuar sua pesquisa. Dois anos mais tarde, ofereceram-lhe o cargo de docente de física teórica na Politécnica de Zurique, e ele pôde deixar o emprego no escritório de patentes. Passou um breve período na Universidade Alemã de Praga, onde foi premiado com um posto de professor titular, antes de voltar à Politécnica de Zurique em 1912. Ao final de 1913, ele

Em visita ao Museu Nacional, no Rio, em 1925, Einstein e Edgard Roquette Pinto *(no centro)*, ladeados por pesquisadores brasileiros

foi convencido por Max Planck a se juntar a ele como professor na Universidade de Berlim. Einstein teve liberdade para continuar sua pesquisa, com poucas obrigações como docente.

TEORIA DA RELATIVIDADE GERAL

Einstein estava compenetrado em uma extensão de sua teoria da relatividade restrita, na qual pretendia incluir a gravidade. A teoria restrita, ou especial, era assim chamada porque apenas funcionava para objetos que se moviam a uma velocidade constante, mas não para objetos que mudassem de velocidade ou de direção devido à gravidade.

Einstein finalmente submeteu sua teoria da relatividade geral em 1915 – um artigo quase tão notável quanto a teoria restrita, publicada dez anos antes.

Asseverava que a gravidade não era uma força – conforme acreditavam os físicos desde Newton –, mas uma distorção no espaço-tempo, criada pela presença de massa. Por "espaço-tempo", Einstein queria dizer que espaço e tempo, que nós vemos como coisas separadas, na verdade, são um *continuum* quadridimensional. Três dessas dimensões são direções pelo espaço, enquanto a quarta é o tempo. De acordo com a teoria geral de Einstein, objetos com massa criam distorções, ou curvaturas, no espaço-tempo e, quanto maior o objeto, maior a distorção. Os planetas orbitam o Sol não por serem impelidos por uma força, mas porque o Sol curvou o espaço-tempo, fazendo com que os planetas passassem a seguir um caminho elíptico através do espaço.

A maior parte das pessoas achou a última teoria de Einstein difícil de compreender, e aqueles poucos que conseguiram entendê-la a refutaram como absurda. O cientista precisaria fornecer alguma prova física para que o mundo estivesse pronto para aceitar a relatividade geral. Essa prova veio alguns anos depois. Einstein havia afirmado que tudo seria afetado por essas distorções, mesmo a luz. Sua teoria seria então provada correta se ele conseguisse demonstrar que a luz de uma estrela, vista da Terra, era desviada conforme passasse pelo Sol. O único momento em que as estrelas podem ser vistas à luz do dia é durante um eclipse solar.

Em 29 de maio de 1919, o astrônomo *sir* Arthur Eddington viajou à Guiné, na África, para observar um eclipse. Em novembro, a Royal Society, em Londres, anunciou que uma das fotografias de Eddington mostrava que uma estrela cuja luz passava muito próxima ao Sol parecia ter mudado de posição. A mudança ocorrera quase exatamente como Einstein previra.

O CIENTISTA MAIS FAMOSO DO MUNDO

O anúncio virou manchete e Einstein rapidamente se tornou o cientista mais conhecido do mundo. Ele recebeu um dilúvio de cartas, pedidos de artigos e convites para dar palestras. Docemente constrangido com toda essa aclamação, continuou a trabalhar. Seu projeto seguinte era tentar encontrar uma ligação entre eletromagnetismo e gravidade. Essa deveria ser a primeira etapa de um grande plano para desvendar uma "teoria unificada dos campos" – uma teoria que poderia explicar as leis que governariam tudo no universo, de partículas subatômicas a estrelas e planetas. Essa busca, que tomaria o resto da vida do físico, estava fadada ao fracasso. A nova física quântica, que o próprio Einstein ajudara a estabelecer, evidenciava que um princípio de incerteza regia as partículas subatômicas: a matemática só pode prever onde uma partícula provavelmente está, não exatamente onde está. Einstein reconhecia a validade de alguns aspectos da teoria quântica, mas nunca conseguiu aceitar o princípio da incerteza, nem o uso de probabilidade como um meio para solucionar problemas da física. Conforme disse, "Deus não joga dados com o universo".

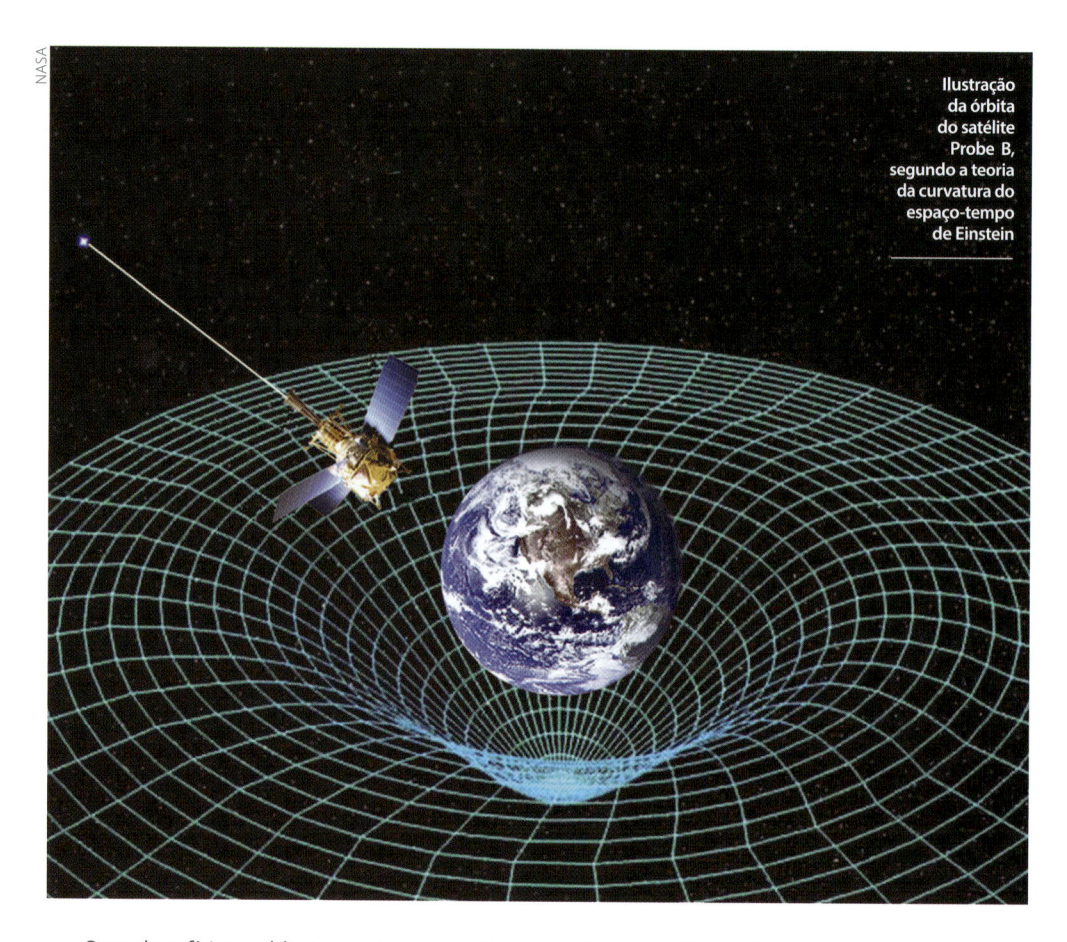

Ilustração da órbita do satélite Probe B, segundo a teoria da curvatura do espaço-tempo de Einstein

Quando o físico publicou a primeira versão de sua teoria unificada dos campos, em 1929, recebeu bastante atenção da imprensa mundial, mas seus colegas cientistas foram críticos. Eles alegaram que Einstein estava indo na direção errada, pedindo que ele dedicasse seus esforços para ajudá-los com a teoria quântica.

Na década de 1920, Einstein envolveu-se cada vez mais em causas políticas. Pacifista durante a vida toda, tornou-se defensor ativo da causa. Viajava muito e trocava correspondências com figuras como o psiquiatra Sigmund Freud e o poeta e místico hindu Rabindranath Tagore.

Em 1933, aceitou um posto no novo Instituto de Estudos Avançados de Princeton, em Nova Jersey, nos Estados Unidos. Quando publicou uma nova versão de sua teoria unificada dos campos, em 1950, ela foi novamente criticada. A essa altura, seu trabalho já era amplamente ignorado pela maioria dos físicos teóricos. Einstein morreu em abril de 1955, aos 76 anos.

UM LEGADO IMENSURÁVEL

O físico é lembrado hoje como um dos maiores cientistas que já existiram. Suas teorias desenvolvidas nos primeiros anos do século XX mudaram nosso entendimento das leis do universo. Diversas vezes foi provado que elas estavam corretas, por meio de observação e experimentação. A relatividade geral mostrou que o universo estava se expandindo (ainda que, na época, Einstein acreditasse em um universo estático), e isso foi comprovado pelo astrônomo Edwin Hubble em 1929. A equação $E = mc^2$ teve aplicação prática no desenvolvimento da energia nuclear, e encontrou outra, destrutiva, nas bombas atômica e de hidrogênio. Hoje, físicos ainda tentam ligar eletromagnetismo com gravidade e completar a teoria unificada dos campos de Einstein.

Wegener em expedição à Groenlândia, em 1930

ARCHIVE OF ALFRED WEGENER INSTITUTE

Alfred Wegener
1880–1930

A PANGEIA

ELE FOI O PRIMEIRO A DESENVOLVER A IDEIA DE QUE AS MASSAS CONTINENTAIS DE TERRA ESTARIAM EM CONSTANTE MOVIMENTO, UMA TEORIA HOJE RECONHECIDA COMO O AVANÇO MAIS IMPORTANTE E DE MAIOR ALCANCE NA HISTÓRIA DA GEOLOGIA

Durante milhões de anos, acreditou-se que a divisão entre terra e mar era fixa e imutável. Quando Wegener sugeriu que não – e que os desertos mais quentes haviam um dia estado sob as calotas polares, e os países, distribuídos de maneira diferente ao redor do mundo –, foi difícil encontrar alguém que o levasse a sério.

Wegener estava convencido de que continentes em movimento eram parte de um mecanismo que explicava todas as atividades de larga escala da Terra, incluindo vulcões, terremotos, formações de montanhas e o movimento dos polos magnéticos. Em todas essas questões, provou-se depois que ele estava certo, mas só muito tempo depois de sua morte. Versado em astronomia e meteorologista de profissão, ele emprestou elementos de várias disciplinas para juntar evidências que sustentassem sua teoria. Contudo, foi desacreditado e tido como amador, arrogante e divulgador de ideias perigosas.

HOMEM DO TEMPO

Alfred Lothar Wegener nasceu em 1º de novembro de 1880, em Berlim, na Alemanha. Ele era o caçula do dr. Richard Wegener, pastor evangélico que administrava um orfanato. Desde seus primeiros anos, Wegener era fascinado pela Groenlândia e pelo Ártico, que mais tarde se tornariam palco de alguns de seus mais importantes trabalhos em meteorologia e, ao final, cenário de sua morte. Ele aprendeu a esquiar e a patinar e treinou vigorosamente durante a juventude, na esperança de um dia se tornar um explorador polar.

Wegener obteve um Ph.D. em astronomia em 1904, na Universidade de Berlim, mas rapidamente se interessou pela nova ciência da meteorologia. Assumiu um emprego no Observatório Real da Aeronáutica da Prússia, próximo a Berlim, e logo construiu um nome. Ele usava pipas e balões para estudar as condições da parte superior da atmosfera e, com o irmão Kurt, chegou a quebrar um recorde mundial ao ficar no ar, em um balão de ar quente, por mais de 52 horas.

Em 1906, Wegener foi convidado a se juntar a uma expedição pela costa leste da Groenlândia, ainda não mapeada, para estudar correntes de ar polar. Era um sonho para ele. Transformou-se na primeira pessoa a usar pipas e balões cativos para estudar condições atmosféricas na geleira.

Após o retorno à Alemanha, tornou-se professor na Universidade de Marburg. Contudo, apesar de ser uma estrela em ascensão na meteorologia, não era nos estudos do tempo que ele haveria de causar seu maior impacto. Wegener havia começado a pensar sobre o formato dos continentes desde cedo. Em dezembro de 1910, escreveu à mulher com quem mais tarde se casaria: "A costa leste da América do Sul não se encaixa perfeitamente à costa oeste da África, como se um dia tivessem estado unidas? Essa é uma ideia que terei de seguir". Foi isso que ele fez, logo encontrando evidências encorajadoras nos fósseis.

No outono de 1911, o pesquisador deparou-se com um artigo na biblioteca da universidade que listava os fósseis de plantas e animais encontrados em ambos os lados do Atlântico. Na época, os cientistas explicaram as similaridades propondo a ideia de que ligações de terra haveriam um dia perpassado os oceanos, tendo porém submergido, sem deixar rastros, quando a Terra se resfriou e contraiu. Wegener não se convenceu. Ele propôs a noção de que, um dia, teria existido um único e vasto continente, que teria se dividido e cujas porções teriam se afastado umas das outras. Chamou esse continente pré-histórico de Pangeia, do grego, "toda a Terra". Escreveu: "Uma convicção da solidez dessa ideia se enraizou em minha mente".

Apresentou suas ideias, pela primeira vez, à Associação Geológica, em Frankfurt, em janeiro de 1912, explicando a uma plateia boquiaberta como os continentes estavam se distanciando, à medida que o mar entre eles se expandia. Ele tinha bastante consciência de que sua teoria revogava toda a compreensão acerca da história da Terra.

No mesmo ano em que fez a primeira apresentação de suas ideias sobre a deriva continental, Wegener partiu novamente para a Groenlândia. A equipe de quatro homens, incluindo ele próprio, tornou-se a primeira a passar o inverno na calota polar e, na primavera seguinte, fez a viagem mais longa sobre aquela geleira, cruzando 1,2 mil quilômetros de neve e escalando picos congelados a alturas de até 3 mil metros.

Os dados coletados por Wegener e o trabalho que realizou com eles renderam-lhe respeito como especialista mundial em meteorologia polar e glaciologia. O pesquisador casou-se com Else Köppen, filha do grande meteorologista W. P. Köppen, e continuou a trabalhar em sua teoria sobre a deriva continental.

Quando Wegener publicou suas ideias, pela primeira vez, no livro *A origem dos continentes e oceanos*, em 1915, elas não tiveram o impacto que o autor esperava. A Primeira Guerra Mundial havia começado e sua teoria não teve visibilidade fora da Alemanha – o mundo estava ocupado.

CONTROVÉRSIA E CONFLITO

As ideias apenas receberam atenção internacional depois de 1922, quando uma terceira edição de seu livro foi traduzida para o inglês e o francês. O trabalho, então, foi mundialmente insultado, especialmente nos Estados Unidos. O presidente da American Philosophical Society resumiu o sentimento geral chamando a teoria de Wegener de "maldita e absoluta podridão".

O cientista foi convidado a falar sobre sua concepção em Nova York, sendo recebido com hostilidade. Opositores chamavam Wegener, sem rodeios, de amador no campo da geologia. Para eles, a arrogância o fizera sair de sua própria área de conhecimento para dizer a eles o que deveriam pensar. Não o ajudava o fato de não possuir explicações plausíveis para justificar o movimento dos continentes ao redor da Terra.

Na década de 1920, ele sugeriu que uma força, que chamou de "*polflucht*" (em alemão, "voo dos polos"), produzida pela rotação terrestre, faria com que as massas continentais fossem empurradas para longe dos polos. Isso, em conjunto com algum tipo de força das marés, poderia impulsionar o curso dos continentes, propôs. Não era muito convincente nem para o próprio Wegener. Um opositor calculou que uma maré forte o suficiente para mover continentes faria a rotação da Terra parar em menos de um ano.

Alguns poucos cientistas apoiaram as ideias de Wegener. O geólogo suíço Émile Argand aceitou a ideia de massas continentais colidentes como uma boa explicação para os estratos enrugados e distorcidos que encontrou em seus estudos dos Alpes. O geólogo sul-africano Alexander Du Toit, diante de fósseis semelhantes encontrados na África e na América do Sul, também defendeu a correção da tese. Alfred Hol-

Wegener e o ajudante Villumsen em novembro de 1930, na Groenlândia: morte na viagem de retorno

mes, da Universidade de Edimburgo, propôs a noção de que as correntes convergentes no interior da Terra poderiam mover os continentes – teoria que Wegener incluiu na edição de 1929 de seu livro e hoje amplamente aceita. Entretanto, para a maioria, aquela era uma ideia absurda, sustentada por poucas evidências concretas.

> ## A ORIGEM DOS CONTINENTES E OCEANOS
> Wegener sugeriu que as massas continentais, em vez de estarem enraizadas profundamente na Terra, estariam se movendo sobre ela. As rochas no fundo dos oceanos são principalmente basalto, mais denso do que o granito do qual os continentes são feitos. O cientista viu as massas continentais flutuando sobre aquilo, como o gelo flutua no mar, ainda que com muito mais vagar, devido à densidade da rocha pela qual tentavam passar: massas continentais revirariam a crosta oceânica como um navio quebra-gelo através de um mar congelado. No início da história da Terra, pensava ele, havia apenas um único e grande continente, que começou a se partir 200 milhões de anos atrás, e seus pedaços ainda estão se movimentando. Cadeias de montanhas foram formadas onde uma massa continental se chocou com a outra, empurrando as rochas umas em direção às outras e forçando-as para cima, dobrando-se.

Para uma teoria tão radical ser amplamente aceita, Wegener sabia que precisaria de muitas evidências que a sustentassem. Ele procurou-as em diferentes disciplinas, estudando características geológicas em ambos os lados do Atlântico, bem como os registros fósseis. O mapeamento de cadeias de montanhas e de formações de minérios mostrou faixas contínuas que iam de um continente a outro – da África à América do Sul, e da Antártida, cruzando a Índia, até a África, por exemplo.

As evidências mais persuasivas de Wegener vieram da paleoclimatologia – o estudo de padrões climáticos de milhões de anos atrás. Ele representou a localização estimada de antigas selvas, geleiras e desertos em seu mapa da Pangeia. Tudo fazia sentido. A glaciação permo-carbonífera, que ocorreu 280 milhões de anos atrás, parecera antes demonstrar que as geleiras se espalharam aleatoriamente ao redor do mundo, algumas das quais nos desertos mais quentes. No mapa de Wegener, elas se concentravam em um local próximo ao polo sul, onde África, Antártida, Austrália e Índia um dia estiveram juntas.

UM FIM TRÁGICO E HEROICO

Nenhuma universidade alemã indicaria Wegener como professor devido à controvérsia que cercava suas ideias. Uma cadeira de meteorologia e geofísica foi criada para ele em 1924 na pequena Universidade de Graz, na Áustria. Ele continuou a trabalhar com clima polar e retornou à Groenlândia em 1930. Quando parte do grupo ficou presa a 400 quilômetros da costa, Wegener, como líder, empreendeu uma temerária missão de resgate. Naquelas condições atrozes, parte do socorro voltou antes de completar a missão. Ele e dois companheiros levaram 40 dias para cruzar o gelo até o acampamento isolado, enfrentando temperaturas de -58 graus.

Um dia depois de seu quinquagésimo aniversário, em 1930, Wegener iniciou a viagem de volta, com seu ajudante groenlandês Villumsen. Nenhum dos dois chegaria ao destino. Na primavera, o corpo de Wegener foi encontrado lacrado dentro de seu saco de dormir, sinalizado com dois esquis fincados na neve. Villumsen o havia enterrado e prosseguido, mas desaparecera sem deixar rastros.

A teoria de Wegener esmoreceu depois de sua morte. Sem defensores, apenas na década de 1950, diante de novos métodos científicos, foi possível observar a atividade da crosta terrestre sob outros ângulos. Análises do fundo do mar (oceanografia) e estudos de como a polaridade magnética da Terra se alterou ao longo de milhões de anos (paleomagnetismo) começaram a fazer emergir evidências que apoiavam a teoria de Wegener sobre a deriva continental das placas.

Mapa da Pangeia feito por Massimo Pietrobon: origem dos continentes e oceanos

TECTÔNICA DE PLACAS

A teoria moderna da tectônica de placas explica o movimento da deriva continental proposto por Wegener. A camada mais externa da Terra – a crosta e o manto superior – é dividida em placas, sendo sete grandes e diversas pequenas. Elas flutuam sobre o restante do manto, que é feito de rocha espessa, pegajosa e líquida a uma alta temperatura (magma). As placas movem-se lentamente ao redor da Terra e seu movimento é responsável pela deriva continental descrita por Wegener. Ele errou ao presumir que apenas as placas continentais se movimentavam e que se moveriam através da crosta oceânica. Hoje, podemos rastrear a movimentação pretérita das placas durante os últimos milhões de anos e conseguimos confirmar que o oceano Atlântico está, de fato, em expansão, embora a América do Norte esteja se distanciando da Europa em apenas 2,5 cm por ano – um centésimo da taxa que Wegener sugeriu.

Ainda não há consenso acerca do porquê de as placas se moverem na astenosfera, embora a teoria preferida, proposta por Holmes, seja a de que elas seriam arrastadas por correntes de convecção no magma subjacente. Conforme afirmou Wegener, "o Newton da teoria da deriva ainda não apareceu. Sua ausência não precisa causar ansiedade; a teoria ainda é jovem".

SÉCULOS XX E XXI

7

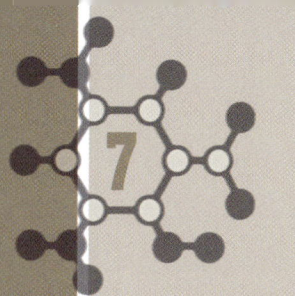

Niels Bohr, em 1923

Niels Bohr
1885-1962

O ÁTOMO EM SUA MENOR PARTE

ELE FOI UM DOS MAIORES FÍSICO-QUÍMICOS DO SÉCULO XX E PROPÔS O MODELO DE "SISTEMA SOLAR" DE ESTRUTURA ATÔMICA, NO QUAL OS ELÉTRONS ORBITAM O NÚCLEO CENTRAL

Bohr era um pensador inspirado, com um imenso poder de concentração. Ele era dedicado ao seu trabalho e conhecido pela persistência, mas também pela generosidade e afabilidade. Um colega estudante escreveu sobre ele, em 1904: "É muito interessante conhecer um gênio, e eu conheço; estou com ele todo dia. Falo de Niels Bohr… além de tudo, é o melhor e mais modesto ser humano que se pode imaginar". Seu espírito humanitário ficou mais eveidente no fim da vida, quando fez campanha contra a corrida nuclear.

Bohr recebeu um Nobel de Física por seu trabalho revolucionário sobre a estrutura do átomo. O elemento bóhrio foi batizado em sua homenagem, e o Instituto de Física Teórica de Copenhague, que ele dirigiu, foi renomeado em sua memória.

INÍCIO DA VIDA

Niels Bohr nasceu em 7 de outubro de 1885, na mansão de sua avó materna, mulher de rica e influente família de banqueiros judeus. Seu pai, Christian Bohr, foi professor de fisiologia na Universidade de Copenhague. Niels cresceu cercado por discussões intelectuais e cultura. Mais tarde, ele diria que as discussões filosóficas entre os amigos de seu pai o inspiraram a buscar princípios unificadores do conhecimento humano – busca em que certamente foi bem-sucedido, aplicando a teoria quântica à química.

Bohr não era academicamente excepcional, mas era bom no futebol, assim como seu irmão Harald, que participou das Olimpíadas de 1908. Eles foram inseparáveis por toda a vida. Algumas das descobertas de Niels foram relatadas primeiro a Harald, nas cartas que trocavam frequentemente.

UM INÍCIO PROMISSOR

Bohr estudou na Universidade de Copenhague, mas, como não havia laboratório de física na instituição, desenvolvia trabalhos experimentais no laboratório de fisiologia do pai. Em 1906, ele recebeu a medalha de ouro da Real Academia Dinamarquesa de Ciências por sua medição da tensão superficial da água.

Bohr completou seu doutorado (Ph.D) em 1911 e foi para a Inglaterra, com a intenção de trabalhar com J. J. Thomson na Universidade de Cambridge. No entanto, os dois não se deram bem e Bohr procurou uma saída.

Ernest Rutherford havia acabado de publicar sua descoberta de que a maior parte da massa de um átomo está no núcleo (o centro). Ele esteve em Cambridge para uma palestra e Bohr foi ouvi-lo, ficando muito impressionado.

Quando Bohr visitou um amigo de seu pai em Manchester, um mês depois, Rutherford foi convidado para jantar. O encontro foi um sucesso e, em março do ano seguinte, Bohr se juntou à equipe de Rutherford, em Manchester, que trabalhava na estrutura do átomo. Os dois desenvolveram uma amizade para toda a vida.

UM NOVO ÁTOMO

Enquanto esteve em Manchester, Bohr trabalhou com a teoria quântica desenvolvida por Einstein e Planck para explorar as próprias teses sobre a estrutura atômica e consertar as falhas que via no modelo de Rutherford. Apesar de o modelo representar um grande salto à frente, ele não funcionava bem. No átomo de Rutherford, os elétrons se moviam lentamente, em espiral, em direção ao centro, ou poderiam ser tirados de posição por uma partícula positiva próxima.

Bohr deixou Manchester após seis meses e voltou a Copenhague, onde se casou com a noiva, Margrette Norlind, em 1912. Eles teriam seis filhos. O quarto, Aage, seguiria o pai na física e ganharia seu próprio Nobel, em 1975. Em Copenhague, Bohr continuou trabalhando em sua teoria do átomo, publicando-a em três artigos na Inglaterra, em 1913. Foi por essa explicação da estrutura atômica que ele recebeu o Nobel, em 1922. Seu trabalho se tornou a fundação da mecânica quântica, que se desenvolveu nos anos 1920, principalmente em torno de seu instituto, na Dinamarca.

Em 1914, Bohr assumiria uma segunda cátedra de física teórica em Copenhague, mas a Primeira Guerra Mundial adiou a criação do posto. Rutherford, então, ofereceu-lhe um posto de reader (professor assistente) por dois anos em Manchester. Ele e a esposa fizeram uma perigosa jornada marítima no meio da guerra para aceitar o cargo. O posto lhe deu a oportunidade de continuar sua pesquisa sem ter de dedicar tempo ao ensino. Ele voltou à Dinamarca e, em 1921, tornou-se presidente do recém-estabelecido Instituto de Física Teórica (patrocinado pela cervejaria Carlsberg).

DESCOBRINDO OS ELEMENTOS

Além de seu trabalho na teoria quântica, Bohr investigou as implicações de seu modelo de estrutura atômica na tabela periódica dos elementos. Ele mostrou que as características de um elemento poderiam ser atribuídas e até previstas pela configuração dos elétrons em seus átomos, e, portanto, por sua posição na tabela periódica.

O ÁTOMO QUÂNTICO

A principal diferença no modelo de estrutura atômica de Bohr era que os elétrons ocupavam órbitas distintas, ou níveis, em vez de rodopiar erráticos e em nuvem em volta do núcleo. Um elétron pode pular entre duas órbitas, mas nunca ficar entre elas. A passagem para uma órbita mais distante ou mais próxima está ligada à absorção ou perda de energia.

A órbita mais interna pode conter até dois elétrons; a seguinte, até oito. Se uma órbita mais interna não estiver cheia, um elétron de uma mais externa poderá pular para ela. Energia é liberada na forma de luz (fótons) quando isso acontece. A quantidade de energia liberada é fixa – um *quantum*.

Os espectros de emissão do hidrogênio – linhas que mostram a luz liberada pelo hidrogênio quando bombardeado por partículas alfa – forneceram provas para o modelo de Bohr. A luz indicativa dos espectros de emissão é emitida em padrões regulares à medida que os elétrons das moléculas de hidrogênio se movem entre as órbitas.

Em 1927, Heisenberg publicou seu princípio da incerteza, segundo o qual é impossível medir a posição e a energia de uma partícula, já que a própria medição a afetará e, portanto, alterará seu estado. Em setembro do mesmo ano, Bohr levou em conta o princípio de Heisenberg na explicação do conceito de complementaridade. Albert Einstein tinha dúvidas quanto à nova interpretação de Bohr da teoria quântica, apesar de essa versão ter prevalecido. Os dois debateram a questão por muitos anos e, apesar de Einstein nunca ter concordado com ele, Bohr reconheceu o enorme valor das |discussões no refinamento de suas ideias. Em 1927, ele escreveu que "qualquer um que não se choque com a teoria quântica não a entende".

A ESTRUTURA ATÔMICA E A QUÍMICA DOS ELEMENTOS

Cada um dos elementos possui um número atômico, começando pelo hidrogênio, com número atômico 1. O número atômico corresponde à quantidade de prótons nos átomos do elemento. Bohr já havia mostrado que os elétrons ocupam órbitas fixas ao redor do núcleo do átomo. Os átomos fazem o possível para ter um nível (órbita permitida) externo completo, o que lhes permite ter estrutura estável.

Eles podem compartilhar, liberar ou receber elétrons a mais para obter a estabilidade. O modo pelo qual os átomos formam ligações com os outros, e a facilidade com que isso acontece, é determinado pela configuração dos elétrons. Como os elementos são ordenados na tabela periódica pelo número atômico, sua posição na tabela pode ser usada pelos cientistas para prever como eles reagirão em combinação com outros.

UMA GUERRA DIFÍCIL

Durante os anos 1930, Bohr se interessou pela fissão nuclear e pela possibilidade de obter energia dela. A fissão nuclear envolve a divisão de um núcleo atômico, causando liberação de energia. O trabalho com fissão nuclear rapidamente tornou-se parte da corrida para desenvolver uma bomba atômica à medida que a Segunda Guerra Mundial se desenrolava.

Em uma visita a Bohr, Heisenberg revelou que a Alemanha estava trabalhando em uma bomba atômica – e que ele mesmo estava à frente do projeto. Mais tarde, ele diria que chegara a um acordo com Bohr segundo o qual sabotaria o projeto caso parecesse bem-sucedido, mas Bohr negou que tal acordo tivesse sido feito.

Quando Hitler começou a perseguir judeus na Alemanha, Bohr ofereceu santuário no Instituto de Copenhague para muitos cientistas, e até doou sua medalha de ouro do Nobel para o esforço de guerra finlandês. Quando os alemães invadiram a Dinamarca, em 1940, a ascendência judaica de Bohr, aliado ao antinazismo militante, tornou sua vida difícil. Ele e a família fugiram para a Suécia em um barco providenciado pela resistência. Dali, foram para a Inglaterra, escondendo-se no compartimento de bomba vazio de um avião britânico enviado para buscá-los.

Bohr, então, se juntou ao esforço de guerra para desenvolver a bomba atômica antes dos alemães. Ele e o filho Aage se mudaram posteriormente para Los Alamos, nos Estados Unidos, com os outros britânicos, para se juntar ao Projeto Manhattan.

Em 1944, porém, Bohr tentaria persuadir tanto Roosevelt quanto Churchill de que a cooperação internacional seria um caminho melhor para o desenvolvimento da fissão nuclear. Churchill incomodava-se com o fato de Bohr achar que seu conhecimento deveria ser compartilhado com os russos. Em 1950, Bohr escreveu às Nações Unidas para apresentar seu argumento contra o desenvolvimento unilateral de armas nucleares. Em 1955, ele organizou a Conferência Átomos pela paz em Genebra, e seguiu em sua cruzada até morrer, em Copenhague, após um derrame, em 18 de novembro de 1962.

Edwin Hubble
1889–1953

UMA PLETORA DE GALÁXIAS

O ASTRÔNOMO AMERICANO FOI O HOMEM QUE MUDOU QUASE SOZINHO A VISÃO DO UNIVERSO DE TAMANHO LIMITADO E LANÇOU AS BASES DE NOSSA COMPREENSÃO MODERNA DO COSMOS

O jovem Hubble no telescópio do Observatório Monte Wilson, na Califórnia, em 1922

No início do século XX, os astrônomos acreditavam que nossa galáxia, a Via Láctea, era o universo todo, medindo apenas alguns milhares de anos-luz de diâmetro. Na década de 1920, Edwin Hubble revelou que ela era uma de bilhões de galáxias de um universo de vastas dimensões. Ele descobriu também que o universo estava se expandindo, encontrando a primeira prova da teoria do Big Bang.

PRIMÓRDIOS

Hubble nasceu em 29 de novembro de 1889, em Marshfield, Missouri, EUA. Quando tinha 9 anos, sua família se mudou para um subúrbio de Chicago. Ele se tornou um atleta de destaque e também mostrou grande aptidão para as ciências, obtendo uma vaga na Universidade de Chicago para estudar matemática e astronomia. Quando não estava estudando, Hubble se dedicava aos esportes. Ele era um boxeador talentoso – tanto que promotores de lutas tentaram persuadi-lo a se profissionalizar. Felizmente, ele se recusou.

Essa combinação de conquistas acadêmicas e esportivas rendeu-lhe uma bolsa na Universidade de Oxford em 1910. Apesar de seu amor pela ciência, Hubble prometeu ao pai, quando esse estava morrendo, que seguiria carreira no direito, que estudou em Oxford. Ao voltar para a América, aos 23 anos, Hubble tinha à frente uma carreira como advogado, mas empregou-se como técnico de basquete e professor secundário. Ele agora se vestia como um acadêmico de Oxford, fumava cachimbo e falava com sotaque britânico. E desejava se voltar para a ciência.

Com esse fim, ele se inscreveu como aluno de graduação no Observatório Yerkes, em Wisconsin, onde começou a estudar as formações esmaecidas e em formato de nuvem conhecidas como nebulosas, que um dia o tornariam famoso. Em 1917, ele obteve um doutorado em astronomia na Universidade de Chicago. Sua evidente capacidade como astrônomo lhe rendeu uma oferta do prestigioso Observatório Monte Wilson, em Pasadena, Califórnia.

Hubble e o telescópio Schmidt, em Monte Palomar, em 1949: observando galáxias nunca antes exploradas

CEFEIDAS

Hubble chegou ao Monte Wilson em 1919, aos 30 anos. Àquela época, alguns progressos na compreensão das dimensões do universo haviam sido alcançados. Henrietta Swan Leavitt descobrira um tipo de estrela chamada cefeida (por causa da constelação de Cefeu, onde a primeira foi encontrada). Essas estrelas brilhavam com mais e menos intensidade em um ritmo regular (Cefeidas hoje são conhecidas como "gigantes vermelhas", estrelas muito antigas.) Leavitt percebeu que havia uma relação entre seu brilho (ou proximidade a nós) e a velocidade de seu ritmo. Comparando a luminosidade relativa de cefeidas em pontos diferentes do céu, ela conseguiu calcular onde elas estavam em relação a nós. Pela primeira vez, tornou-se possível medir distâncias entre diferentes partes do universo.

Antes de Hubble se juntar à equipe de Monte Wilson, Harlow Shapely já havia assustado o mundo com suas conclusões sobre o tamanho da Via Láctea. Usando as cefeidas para medir as distâncias, Shapely julgou que ela tinha 300 mil anos-luz de diâmetro – dez vezes mais do que se acreditava até então, mas, como a maioria dos astrônomos da época, acreditava que a Via Láctea era tudo que existia. As estranhas nuvens chamadas nebulosas eram, segundo ele, meros aglomerados de gás.

DESCOBRINDO NOVAS GALÁXIAS

Hubble teve a sorte de chegar a Monte Wilson logo após o observatório ter construído o telescópio Hooker, de 2,54 metros, o mais poderoso da Terra. Ele pôde observar os céus com muito mais detalhe do que seus antecessores. Após alguns anos de observação paciente, ele fez uma descoberta extraordinária. Em 1923, percebeu uma cefeida em um dos aglomerados gasosos, conhecido como nebulosa de Andrômeda. Usando a técnica de Leavitt, conseguiu provar que Andrômeda estava a quase 1 milhão de anos-luz de distância – bem além dos limites externos da Via Láctea – e era uma galáxia diferente.

Hubble continuou descobrindo cefeidas em outras nebulosas e provou conclusivamente que havia outras galáxias além da nossa. Ele descreveu suas descobertas em um artigo de 1924 intitulado "Cefeidas em nebulosas espirais". Quase do dia para a noite, ele se tornou o astrônomo mais famoso do mundo. De repente, as pessoas tiveram de se acostumar ao fato de que o universo era bem maior do que se imaginava até então.

Em 1926, Hubble começou a desenvolver um sistema de classificação das galáxias que ele havia descoberto, e, ao longo dos trabalhos, percebeu um fato estranho: elas pareciam estar se distanciando da Terra. Hubble sabia disso porque a luz das estrelas que observava mostravam sinais de algo chamado "desvio para o vermelho", em que as ondas de luz de um objeto que se move para longe de um observador estacionário se alongam, e a luz se move em direção à ponta vermelha do espectro. Da mesma forma, a luz que se aproxima desvia para o azul.

UM UNIVERSO EM EXPANSÃO

Hubble começou a medir as distâncias para as galáxias que se afastavam e, em 1927, foi capaz de formular o que viria a se tornar a lei de Hubble: quanto maior a distância de uma galáxia, mais rápido ela se afasta. A conclusão inescapável era que o universo, que sempre parecera estático, estava na verdade se expandindo. Dois anos depois, Hubble calculou a taxa de expansão, conhecida como constante de Hubble (H). Isso permitiu aos astrônomos calcular a velocidade (v) com que qualquer galáxia se movia ($v = H \times$ distância).

Na verdade, Hubble superestimou o valor de sua constante, tomando por base a presunção de que a Via Láctea era a maior de todas as galáxias e que o universo era bem mais jovem do que de fato era. No entanto, sua fórmula permanece válida e, após a constante ter sido revisada, ela pôde ser usada para calcular o tamanho e a idade do universo. Estima-se que seu raio seja de 18 bilhões de anos-luz e acredita-se que tenha de 10 bilhões a 20 bilhões de anos.

As importantes descobertas de Hubble chamaram atenção de Albert Einstein. Em 1915, o físico havia publicado sua teoria geral da relatividade, sugerindo que, devido aos efeitos da gravidade, o universo estaria se expandindo ou se contraindo. Ainda assim, o consenso na época era que o universo era estático, e Einstein não sabia o bastante de astronomia para refutar. Diante desse fato, ele introduziu uma força antigravitacional em suas equações, que ele chamou de constante cosmológica. As descobertas de Hubble provaram que os instintos iniciais de Einstein estavam certos, afinal. Posteriormente, o pai da relatividade descreveria a introdução da constante cosmológica como "o maior engano da minha vida".

O status de grande celebridade científica se confirmou para Hubble em 1936, com seu livro *O reino das nebulosas*, em que ele descreveu como fez suas descobertas. Quando os EUA entraram na Segunda Guerra Mundial, em 1941, Hubble estava determinado a lutar no front. No entanto, ele foi convencido de que seria mais útil ao país trabalhando nos bastidores, como cientista, e foi alçado a chefe de balística de um centro de pesquisas em Maryland.

Hubble teve papel central no desenvolvimento e na construção do Telescópio Hale, em Palomar, Califórnia. Completado em 1948, ele tinha 5,08 metros, era quatro vezes mais poderoso que o Hooker e seria o maior telescópio da Terra pelos 40 anos seguintes. Indagado por um repórter sobre o que esperava encontrar, Hubble respondeu: "Esperamos encontrar algo totalmente inesperado".

FIM DA VIDA

Hubble continuou a trabalhar nos observatórios de Monte Wilson e Monte Palomar até morrer de trombose cerebral, em 28 de setembro de 1953. Seu legado para a astronomia é imenso. Ele transformou nossa visão do cosmos e nosso lugar nele. Sua descoberta de que o universo está em expansão levou os cientistas a desenvolver o modelo do Big Bang, que é ainda a teoria mais aceita sobre a origem do universo. Segundo ela, o universo começou há cerca de 10 bilhões a 20 bilhões de anos, explodindo a partir de um pequeno ponto de calor e densidade quase inimagináveis, e tem se expandido desde então.

Imagem produzida pelo Hubble

NASA, ESA, HUBBLE HERITAGE TEAM (STSCI/AURA), J. GALLAGHER (UNIVERSITY OF WISCOSIN), M. MOUNTAIN (STSCI) AND P. PUXLEY (NSF)

O TELESCÓPIO ESPACIAL HUBBLE

Faz sentido que hoje Edwin Hubble seja mais lembrado pelo Telescópio Espacial Hubble (HST, na sigla em inglês), um observatório em órbita que nos mostrou algumas das imagens mais impressionantes do cosmos. A atmosfera da Terra altera os raios de luz do espaço sideral, dando aos telescópios no solo uma visão distorcida dos céus. O HST, acima da atmosfera, recebe imagens com muito mais nitidez e detalhes.

O HST foi lançado ao espaço pelo ônibus espacial Discovery em 25 de abril de 1990. Seus instrumentos podem detectar não apenas a luz visível, mas também as luzes ultravioleta e infravermelha. Sua câmera consegue obter uma resolução dez vezes maior que até o maior telescópio em solo. Os astrônomos de hoje podem observar objetos celestes distantes com uma claridade que Hubble apenas poderia ter sonhado.

Heisenberg, em 1936

Werner Heisenberg
A CIÊNCIA E A INCERTEZA
1901–1976

ELE ENCONTROU UMA NOVA FORMA DE EXPRESSAR A NATUREZA PARADOXAL DO MUNDO SUBATÔMICO USANDO A MATEMÁTICA. COM ISSO, LANÇOU AS BASES PARA UM NOVO RAMO DA FÍSICA, CONHECIDO COMO MECÂNICA QUÂNTICA

No livro *Física e filosofia*, de 1963, Werner Heisenberg escreveu: "Queremos falar de alguma forma da estrutura dos átomos (…) Mas não podemos falar sobre eles na linguagem normal". Assim o físico e filósofo alemão articulou o problema que os cientistas encaravam no início do século XX: elétrons e outras partículas subatômicas não têm uma forma física que possa ser visualizada ou descrita com palavras, comportando-se algumas vezes como partículas e outras como ondas. Sua solução foi uma mecânica matricial, desenvolvida em 1926, da qual ele derivou seu famoso "princípio da incerteza" (1927).

Werner Karl Heisenberg nasceu em 5 de dezembro de 1901, em Würzburg, na Alemanha. Ele era o mais novo dos dois filhos do dr. August Heisenberg, um estudioso de línguas clássicas, e de Annie Wecklein. Em 1910, a família se mudou para Munique, onde Werner frequentou o Ginásio Maximillian. No geral, ele era um excelente aluno, tirando suas maiores notas em matemática, física e religião.

Em 1920, ele se inscreveu na Universidade de Munique para estudar física com o eminente físico Arnold Sommerfeld. Em 1923, após ter completado sua dissertação de doutorado, foi para Göttingen e, em 1924, para a Universidade de Copenhague, a fim de estudar com Niels Bohr.

Bohr estava na vanguarda do desenvolvimento da teoria quântica, que descreve o comportamento das partículas subatômicas com base na premissa de que elas se comportam tanto como ondas quanto como partículas. Heisenberg estava muito interessado no modelo atômico de Bohr, que tentava incorporar a teoria quântica. Os primeiros modelos de átomo, baseados no sistema solar, mostravam os elétrons simplesmente orbitando o núcleo central, como planetas em torno de um sol. Bohr concordava que os elétrons orbitavam o núcleo, mas mostrou que as energias dos elétrons podem ocorrer somente em quantidades fixas, ou *quanta*. Esses *quanta* correspondiam a certas órbitas fixas. Um elétron poderia pular de uma órbita fixa para outra, emitindo ou absorvendo uma quantidade de energia exatamente igual à diferença de energia entre as órbitas. Visualizar um átomo dessa forma dava sentido ao que se via quando se olhava para as linhas espectrais de um átomo de hidrogênio. Linhas espectrais são obtidas direcionando-se a radiação eletromagnética (causada pelas vibrações dos elétrons) de um elemento através de um prisma. Este a decompõe em linhas espectrais, que mostram as intensidades e frequências da radiação – e, portanto, as emissões e absorções de energia dos elétrons.

O modelo de Bohr tinha, no entanto, suas falhas. Apesar de conter elementos de teoria quântica, ele ainda ignorava a característica da onda do elétron. Além disso, o modelo de Bohr só funcionava para átomos de hidrogênio com um único elétron. A partir de abril de 1925, Heisenberg decidiu tentar desenvolver um novo modelo atômico, mais fundamentado na teoria quântica, que funcionasse para todos os átomos. Ele acreditava que a tentativa de visualizar um modelo físico do átomo estava fadada ao fracasso por causa da natureza paradoxal de onda/partícula dos elétrons. Como as órbitas não poderiam ser observadas, ele decidiu ignorá-las e, em vez disso, focar o que pudesse ser observado e medido: a energia que emitiam e absorviam, como se via nas linhas espectrais.

MECÂNICA MATRICIAL

Em julho, Heisenberg havia desenvolvido algo que parecia funcionar, mas a matemática era tão abstrata e estranha que ele não tinha sequer certeza de que fazia sentido. Ela envolvia tabelas numéricas, ou matrizes (uma matriz é um conjunto de equações matemáticas cujas linhas e colunas podem ser combinadas com outras matrizes para resolver problemas). Ele as mostrou a Max Born, que as reconheceu como pertencentes a uma forma de matemática chamada álgebra matricial. Com a ajuda de Born, Heisenberg ajustou sua teoria, que ele chamou de mecânica matricial. Novos experimentos mostraram que a teoria poderia dar conta de várias propriedades dos átomos, incluindo aqueles com mais de um elétron.

Os físicos ficaram impressionados com a eficácia da mecânica matricial como meio de prever o comportamento subatômico, mas lamentaram a natureza obscura da matemática envolvida e o fato de ela não facilitar a visualização de como se pareceria um átomo.

No início de 1926, o físico austríaco Erwin Schrödinger chegou a uma teoria alternativa chamada mecânica ondulatória. Em sua teoria, ele dizia que os *quanta* de energia dos elétrons não correspondiam a órbitas fixas, como Bohr havia dito, mas a frequências vibratórias da "onda de elétrons" ao redor do núcleo. Assim como uma corda de piano tinha um tom fixo, um elétron-onda tinha um *quantum* fixo de energia. A mecânica ondulatória usava uma matemática muito mais simples que a mecânica matricial e também era mais fácil de visualizar. Em maio de 1926, Schrödinger mostrou que, em termos matemáticos, ambas as teorias eram a mesma coisa, mas, em sua visão, a mecânica ondulatória era mais simples e acessível. Juntas, as teorias rivais formaram a base do que veio a ser conhecido por mecânica quântica.

Em outubro de 1926, enquanto Heisenberg começava em seu novo emprego de professor na Universidade de Copenhague, Schrödinger chegou à cidade para debater as teorias alternativas com Bohr. Os debates foram apaixonados, mas inconclusivos. Eles só ressaltaram a natureza insatisfatória de ambas as teorias. Heisenberg percebeu que sua formulação matemática não era suficiente. Ele teria de desenvolver uma forma de interpretar suas matrizes que fizesse sentido em termos físicos.

O PRINCÍPIO DA INCERTEZA

Enquanto isso, o alemão Pascual Jordan e o inglês Paul Dirac criaram um novo conjunto de equações com base nas teorias rivais, que eles chamaram de "teoria da transformação". Enquanto estudava as equações de ambos, Heisenberg percebeu um problema. Quando se tentava medir tanto a posição quanto a velocidade vetorial (velocidade e direção) de uma partícula ao mesmo tempo, os resultados eram imprecisos ou incertos.

Heisenberg acreditava que essa incerteza não era culpa das equações, mas parte da própria natureza do mundo subatômico. Ele escreveu uma carta de 14 páginas a Wolfgang Pauli em fevereiro de 1927, explicando sua nova teoria, e isso formou a base de um artigo. Ele o chamou de "Princípio da incerteza".

A teoria diz que se pode saber a posição de uma partícula subatômica em determinado instante, ou sua velocidade vetorial, mas é impossível conhecer ambas ao mesmo tempo. A razão para isso é que o próprio ato de medir a velocidade de uma partícula subatômica irá mudá-la, tornando inválida a mensuração simultânea de sua posição. O princípio funciona também no mundo visível, mas não o percebemos porque o elemento de incerteza é extremamente pequeno. É, por exemplo, extremamente fácil saber tanto a posição quanto a velocidade de um carro a qualquer momento. No entanto, no infimamente pequeno mundo subatômico, o elemento de incerteza se torna extremamente significativo. Isso não é algo que se possa resolver com técnicas ou instrumentos mais precisos de medição: tem a ver com a relação fundamental entre as partículas e ondas no nível subatômico. Cada partícula possui uma

Heisenberg (à esq.) com Niels Bohr: amizade e cooperação no ramo da física quântica perturbadas pela guerra

onda associada. A posição de uma partícula pode ser localizada precisamente onde as ondulações da onda são mais intensas. Entretanto, onde suas ondulações são mais intensas, o comprimento de onda é mais mal definido, e a velocidade da partícula associada é impossível de determinar. Similarmente, uma partícula com um comprimento de onda bem definido tem uma velocidade precisa, mas uma posição muito mal definida.

Um objeto a ser observado é uma mistura de partícula e onda. Se um experimentador escolher medir sua velocidade, o objeto se transformará em onda; se escolher medir sua posição, se tornará uma partícula. A velocidade e a posição do objeto eram indeterminadas – não existiam – antes de serem observadas. Portanto, ao escolher observar uma coisa ou outra, o observador na verdade está afetando a forma que o objeto toma.

A implicação prática disso é que nunca se pode prever onde um elétron estará em dado momento; pode-se prever a probabilidade de que esteja lá. Em outro sentido, pode-se dizer que um elétron não existe de verdade – ou ao menos que existe em estado indefinido – até que seja observado.

Bohr estava em uma viagem de férias quando Heisenberg começou a escrever seu artigo sobre o princípio da incerteza. Ele mostrou a Bohr o primeiro rascunho assim que ele voltou, e o físico dinamarquês ficou tão impressionado que imediatamente enviou uma cópia a Albert Einstein. O alemão não gostou da dependência que a teoria tinha da probabilidade. Ele se opunha ainda mais à ideia de que o observador pudesse influenciar o que observava. Apesar das objeções do grande físico, o princípio da incerteza ganhou apoio rapidamente. Bohr fez uso dele ao elaborar seu princípio da complementaridade, em 1928, afirmando que uma compreensão completa de um objeto subatômico requer uma descrição tanto de suas propriedades como onda quanto de suas propriedades como partícula. Juntas, incerteza e complementaridade se tornaram conhecidas como a "interpretação de Copenhague" da mecânica quântica.

ÚLTIMOS ANOS

No início dos anos 1930, a incerteza se tornou amplamente aceita por físicos de toda parte. No entanto, ainda havia opositores notáveis da doutrina. Em 1932, Heisenberg recebeu o Nobel por suas contribuições à mecânica quântica.

O Partido Nazista chegou ao poder na Alemanha em janeiro de 1933. Heisenberg permaneceu no país durante o período do Terceiro Reich, apesar de não gostar dos nazistas. Ele disse acreditar que era importante permanecer na Alemanha para ajudar a preservar a ciência do país. Em seus últimos anos, após a Segunda Guerra Mundial, Heisenberg teve papel central no estabelecimento do Conselho Europeu para a Pesquisa Nuclear (CERN), na Suíça, em 1952. Na década de 1960, ele devotou a maior parte de sua energia à escrita e à docência. Morreu em 1º de fevereiro de 1976.

HEISENBERG E A FISSÃO NUCLEAR

Em 1938, os cientistas alemães Otto Hahn, Lise Meitner e Otto Frisch descobriram a fissão nuclear – a divisão do núcleo de um átomo de urânio e a consequente liberação de grandes quantidades de energia. No ano seguinte, a Segunda Guerra Mundial eclodiu, e foi pedido a Heisenberg e seus colegas que pesquisassem as aplicações bélicas da fissão. O cientista posteriormente defendeu seu envolvimento no projeto, dizendo que o fez por autopreservação (ele fora ameaçado), e o teria sabotado caso obtivessem êxito na criação de uma bomba atômica. Na verdade, eles nunca chegaram perto de construir tal artefato.

Pauling: trabalho decisivo com cristais

Linus Pauling

1901-1994

CIÊNCIA HUMANISTA

ELE É CONSIDERADO O QUÍMICO MAIS INFLUENTE DESDE LAVOISIER E O PAI FUNDADOR DA BIOLOGIA MOLECULAR. SEU TRABALHO COM AS LIGAÇÕES QUÍMICAS — AS FORÇAS QUE UNEM OS ÁTOMOS EM MOLÉCULAS — FORMOU A BASE DE NOSSA COMPREENSÃO DESSAS ESTRUTURAS

Apesar do papel central de Linus Pauling na descoberta dos elementos que tornam a vida possível, essa é apenas metade da história. Ele trabalhou também com devoção pela paz mundial e pelas liberdades civis. Com isso, foi ganhador do Prêmio Nobel de Química em 1954 e da Paz em 1962.

Pauling, diferentemente da maioria dos outros grandes cientistas, não é famoso por uma ou duas descobertas importantes. Em vez disso, sua influência se difundiu amplamente, e podemos pensar nele como a pessoa que uniu todo o trabalho mais importante do século XX em química e bioquímica.

COMEÇANDO CEDO

A infância de Linus Carl Pauling foi marcada pela pobreza e pela tragédia. Ele nasceu em Portland, Oregon, EUA, em 28 de fevereiro de 1901. Seu pai era um farmacêutico falido, que morreu quando o filho tinha 9 anos. Dali em diante, a mãe criaria Linus e os dois irmãos sozinha. Aos 13 anos, ele já trabalhava para ajudar a sustentar a família.

Apesar da dificuldade, Pauling era uma criança curiosa, que lia vorazmente – o pai escrevera para um jornal local pedindo sugestões de livros para o filho. Ele mostrou um interesse precoce pela ciência, particularmente pela química, e amava experimentar no pequeno laboratório que um amigo, Lloyd Jefress, tinha no quarto. Pauling, porém, não conseguiu obter seu diploma do colegial porque se recusou a participar de um curso de história americana da forma que a escola determinava. A escola só cedeu depois de ele ter ganhado dois prêmios Nobel.

Após o colegial, Pauling foi para o Oregon State Agricultural College, em 1917, estudar engenharia química. Ele trabalhava em tempo integral enquanto estudava. De 1919 a 1920, lecionou no curso de análise que acabara de concluir, ganhando o epíteto de "professor menino". Foi isso que o salvou de ser obrigado a voltar a Portland para ajudar a mãe, mergulhada na pobreza.

Após ter concluído a graduação, Pauling mudou-se para o Instituto de Tecnologia da Califórnia (Caltech), onde lecionou de 1922 a 1925 e obteve seu Ph.D. em química em 1925. Em 1923, casou-se com Ava Helen Miller, apaixonada ativista dos direitos femininos, que mais tarde trabalharia com Pauling em suas campanhas contra as armas nucleares. Juntos, tiveram três filhos e uma filha.

ÁTOMOS E LIGAÇÕES

Já em 1919, Pauling se interessava pela forma como os átomos se ligam uns aos outros. Esse seria o motor principal de sua carreira. Ele se inspirou na teoria que diz que pares de elétrons são compartilhados entre átomos, unindo-os. Pauling começou a trabalhar em estruturas cristalinas no Caltech em 1922, esperando descobrir por que os átomos dos metais se dispõem em padrões regulares.

Pauling aprendera sobre a difração dos raios X como estudante e a utilizou para determinar a estrutura cristalina do molibdênio em 1922. Quando se direcionam raios X para um cristal, alguns são desviados da rota ao colidir com átomos, enquanto outros passam diretamente. O resultado é um padrão de difração – um padrão de linhas claras e escuras que revela as posições dos átomos no cristal. Pauling, em 1928, publicou suas descobertas como um conjunto de regras para calcular prováveis estruturas cristalinas a partir de padrões de difração dos raios X.

Em 1925, Pauling viajou à Europa por dois anos com uma bolsa Guggenheim e estudou com figuras como Niels Bohr e Edwin Schrödinger. Sua maior inspiração, no entanto, foi sua observação do trabalho de Fritz London e Walter Heitler na mecânica quântica do átomo de hidrogênio. De volta aos EUA, ele se tornou um dos primeiros a aplicar as novas teorias da mecânica quântica à estrutura molecular.

Já se sabia que os átomos podem se combinar com outros, formando ligações que poderiam ser iônicas ou covalentes. Pauling acabaria com essa classificação organizada, mas simples demais. Ele publicou seu trabalho sobre ligações químicas em 1931, após uma segunda visita à Europa em que aprendeu como usar a difração de elétrons (similar à difração dos raios X, mas usando um feixe de elétrons). O artigo foi um entre os 50 que ele já havia publicado aos 30 anos.

O trabalho de Pauling, de 1939, tornou-se o mais influente livro de química do século. Ao trazer a mecânica quântica para a sua formulação das ligações, ele explicava como e por que os elementos formam compostos e os materiais se comportam da forma como vemos.

Pauling usava a difração de raios X e de elétrons, via os efeitos magnéticos e media o calor das reações químicas para calcular as distâncias e ângulos entre átomos que formavam ligações. Ele introduziu o conceito de eletronegatividade como uma medida da atração exercida por um átomo sobre os elétrons envolvidos na ligação, e desenvolveu uma tabela de valores para diferentes átomos.

Finalmente, Pauling examinou a forma como o carbono forma ligações, abrindo as portas para o reino da química orgânica. Compostos orgânicos são aqueles em que todas as formas de vida da Terra se baseiam. A partir dessa pesquisa, ficou demonstrado que a estrutura da hemoglobina (que leva o oxigênio no sangue) muda quando o oxigênio se liga a ela. Ele foi um dos primeiros a explicar como anticorpos e enzimas funcionam. Seu trabalho mostrou que a físico-química, no nível molecular, poderia ser usada para resolver problemas da biologia e da medicina.

Explosão nuclear nas Ilhas Marshall: Pauling foi um dos responsáveis pela assinatura do tratado entre EUA e URSS, em 1963, que limitou os testes com armas nucleares

A LIGAÇÃO QUE POSSIBILITA A VIDA

No entanto, o principal desafio para os bioquímicos era entender as proteínas – as substâncias que controlam todos os processos nas células. De novo, o trabalho de Pauling foi crucial para o progresso.

A ligação do hidrogênio é um tipo especial de ligação formada entre um átomo de hidrogênio e um átomo próximo com carga negativa. Pauling não a descobriu, mas a explicou em termos de comportamento quântico e calculou um valor para a energia envolvida. Com isso, ficou claro que a vida na Terra depende da existência dessa ligação pequena e fraca, e muitos pedaços do quebra-cabeça bioquímico finalmente se encaixaram.

Pauling trabalhou com Alfred Mirsky por um longo período, interrompido pela Segunda Guerra Mundial, para descobrir a estrutura das proteínas. A equipe de William Bragg, em Cambridge, no Reino Unido, estava trabalhando no mesmo problema. Quando Bragg publicou suas descobertas, em 1950, ficou claro que não estavam muito certas. Pauling chegou à resposta correta, publicando-a no ano seguinte – a forma característica de uma proteína é uma longa cadeia torcida em forma de hélice, ou espiral, hoje conhecida como alfa-hélice. A forma da estrutura se mantém por ligações de hidrogênio. Em maio de 1951, a equipe de Pauling sacudiu o mundo da bioquímica ao publicar a estrutura de sete proteínas fibrosas, incluindo as do cabelo, da seda e do músculo.

A maior, mais complexa e mais importante molécula bioquímica é o DNA, a substância da qual todos os cromossomos são feitos. Nessa estrutura estão codificadas todas as características de um organismo vivo. Descobrir a estrutura do DNA era o óbvio passo seguinte para Pauling e Bragg, mas nenhum deles ganharia essa corrida.

PACIFISTA E ATIVISTA

Pauling foi convidado a se juntar ao Projeto Manhattan para desenvolver armas atômicas durante a Segunda Guerra Mundial. Ele tinha sido amigo próximo do líder do projeto, Robert Oppenheimer, apesar de sua amizade ter terminado abruptamente quando Robert tentou convencer a esposa de Pauling a fugir com ele para o México. Foi o pacifismo, porém, que impossibilitou a participação de Pauling, o que levaria a constantes problemas com as autoridades dos EUA nos anos após a guerra, quando ele foi incansável na luta pelo controle das armas nucleares. Ao receber o Nobel, em 1954, seu passaporte estava confiscado e só foi devolvido em cima da hora da viagem para Estocolmo. Na verdade, a apreensão do documento o impediu de ir à Inglaterra para ver as fotografias de raios X do DNA feitas por Rosalind Franklin. Elas poderiam tê-lo levado a revelar a estrutura correta do DNA – uma dupla hélice, em vez da tripla hélice que ele havia sugerido.

Pauling era incansável em sua campanha pelo controle das armas nucleares. Em 1958, ele e a esposa coletaram mais de 11 mil assinaturas de cientistas para uma petição pelo fim dos testes de armas. A pressão pública decorrente levou à assinatura, em 1963, do Tratado de Interdição Parcial de Testes Nucleares, por EUA e Rússia. No dia da assinatura, Pauling recebeu o Nobel da Paz.

O prêmio não melhorou sua situação doméstica. O subcomitê Interno de Segurança do Senado o considerava "nome científico número um em praticamente todas as maiores atividades da ofensiva de paz comunista neste país" e a revista Life chamou sua premiação de "insulto extraordinário à América". No final da vida, Pauling voltou sua atenção à medicina alternativa, particularmente à aplicação de altas doses de vitamina C como forma de evitar o câncer. Ironicamente, ele morreu de câncer na próstata, em 19 de agosto de 1994, em seu rancho próximo a Big Sur, na Califórnia, aos 93 anos.

Crick, Watson e seu modelo do DNA, ao qual eles não teriam chegado sem as excelentes imagens em raios X obtidas por Rosalind (acima)

Francis Crick, James Watson e Rosalind Franklin

| 1916–2004 | 1928 | 1920–1958 |

A CORRIDA PELO DNA

O FORMATO DE DUPLA HÉLICE DA MOLÉCULA DO DNA É A IMAGEM MAIS FAMOSA DA BIOLOGIA E DA QUÍMICA. ELA FOI DESCOBERTA POR CRICK, WATSON E ROSALIND. MAS A INCLUSÃO DO TERCEIRO NOME É CONTROVERSA

A descoberta do DNA e as possibilidades que isso abriu trouxeram uma área complexa da ciência ao grande público. Entender o funcionamento do DNA nos ajudou a desvendar o mecanismo da herança genética, explicando como organismos herdam características de seus pais e ancestrais. Isso possibilitou novos tratamentos médicos e ainda as controversas técnicas da engenharia genética, clonagem, triagem de doenças genéticas e identificação pelo DNA.

PREPARANDO A CENA

A compreensão da herança genética começou com o trabalho de Mendel nos anos 1850. Ele viu um padrão na forma como as características são passadas entre gerações de ervilheiras. Mais tarde, ainda no século XIX, outros cientistas viram os cromossomos e descobriram o DNA nas células, mas somente em 1944 Oswald Avery percebeu que era o DNA que carregava a informação que controla a herança genética.

O trabalho de Pauling, Bragg e outros sobre a estrutura das proteínas na década de 1940 preparou a cena para a exploração da estrutura do DNA. Pauling havia revelado que a estrutura das moléculas biológicas explica seu comportamento químico. Tornou-se claro que a compreensão da forma como o DNA permite a transmissão das características genéticas poderia se basear somente no conhecimento de sua estrutura molecular. A corrida para descobri-la havia começado.

Pauling liderava a equipe de pesquisas mais experiente e com maior financiamento. No Reino Unido, o esforço se dividia entre o laboratório do King's College, em Londres, e o Laboratório Cavendish, em Cambridge. Os dois grupos britânicos tinham abordagens diferentes. Em Londres, Rosalind Franklin e Maurice Wilkins estavam trabalhando com imagens de raios X de moléculas de DNA, tentando calcular matematicamente sua estrutura. Em Cambridge, Francis Crick e James Watson fizeram modelos de possíveis estruturas que poderiam acomodar o que se sabia sobre a composição química do DNA e as estruturas já identificadas em outras moléculas. No entanto, o avanço só veio quando os frutos de ambas as abordagens foram combinados.

James Dewey Watson nasceu em Chicago, em 6 de abril de 1928. Ele passou muito tempo observando pássaros com seu pai, e sua primeira ambição era ser ornitólogo. Com 15 anos, já estudava zoologia na Universidade de Chicago. Em busca de seu Ph.D. na Universidade de Indiana, Watson se interessou pela genética. Após o doutorado, mudou-se, em 1950, para Copenhague, a fim de estudar o efeito do DNA nos vírus. Ali, ele se interessou pelo uso da cristalografia com raios X, que se desenvolvia na Inglaterra, e foi para Cambridge em busca de aprendizado.

A técnica de cristalografia com raios X havia sido desenvolvida em 1912 por William e Lawrence Bragg, uma equipe de pai e filho que trabalhava na Inglaterra. Os Braggs descobriram que, se raios X fossem direcionados a uma estrutura cristalina, um padrão regular de linhas seria produzido. Os raios X são espalhados quando batem em átomos do cristal, ou passam diretamente quando não há átomos em seu caminho. Os padrões da difração produzida – o desenho das linhas – poderiam ser usados para calcular o arranjo dos átomos em uma estrutura de cristal.

A cristalografia de raios X é a interpretação dos padrões de difração dos raios X para descobrir a estrutura de cristais e moléculas. Foi aplicada a moléculas biológicas pela primeira vez por Linus Pauling. Colega de Watson em Cambridge, Francis Harry Compton Crick foi para a biologia relativamente tarde. Nascido no norte da Inglaterra, em 8 de junho de 1916, estudou física no University College, em Londres, indo depois trabalhar com minas para o Almirantado durante a Segunda Guerra Mundial. Após a guerra, em busca de algo interessante para se dedicar, ele foi para o Laboratório Strangeways, em Cambridge, e depois para o Cavendish, a fim de estudar proteínas. Quando Watson chegou a Cambridge, os dois se tornaram amigos. Eles compartilhavam um escritório, e o interesse comum pelo DNA os levou a trabalhar juntos no modelo de sua estrutura.

EM LONDRES

Chamar a dupla que trabalhava em Londres de equipe implica um grau de cooperação que não existia. Maurice Hugh Frederick Wilkins nasceu em Pongaroa, Nova Zelândia, em 1916. Ele se mudou para a Inglaterra aos 6 anos, indo posteriormente estudar física em Cambridge. Durante a Segunda Guerra, trabalhou por um tempo no Projeto Manhattan, nos EUA. De volta ao Reino Unido, trabalhou como professor de física na Escócia e, depois, foi para o King's College pesquisar moléculas biológicas, inclusive DNA e vírus.

Rosalind Elsie Franklin nasceu em Londres, em 25 de julho de 1920. Ela fora uma criança brilhante, e seu meio próspero lhe proporcionou a boa sorte de ir para uma das poucas escolas que ensinavam física e química para meninas na época. Seu pai desencorajou suas ambições de se tornar cientista; ainda assim, ela foi para Cambridge aprender química em 1938. Após ter se formado, ela passou um ano pesquisando em Cambridge, antes de ir trabalhar na indústria, estudando a estrutura física do carvão. Em 1947, mudou-se para Paris, onde aprendeu sobre a cristalografia com raios X. No retorno à Inglaterra, em 1951, ela foi contratada para o laboratório de Wilkins enquanto ele estava fora. Quando o físico voltou, imaginou que ela fosse uma assistente, e não uma cientista sênior indicada para trabalhar no mesmo problema que ele já estava explorando. Depois disso, o relacionamento só se deteriorou.

As fotografias de raios X de Rosalind eram inigualáveis naquele momento. Ela tinha a boa sorte extra de ter acesso à melhor amostra de DNA do mundo, obtida do timo de bezerros por um cientista suíço e cedidas a Wilkins. A amostra foi repassada a Rosalind, sem cerimônia, pelo diretor do laboratório, John Randall.

A cristalografia por raios X pode mostrar a forma geral de uma molécula, mas não a de cada átomo ou molécula dentro dela. Crick e Watson tentaram fazer modelos físicos da estrutura de DNA, primeiro usando recortes de cartolina e, depois, placas de metal, parafusos, bastões e bolas coloridas para representar grupos de átomos e as ligações entre eles. O objetivo era reconstruir os possíveis arranjos dos átomos a partir de seu conhecimento da composição química do DNA, escolhendo estruturas que correspondessem às evidências das fotografias de raios X.

Nos EUA, Pauling estava fazendo praticamente a mesma coisa. Seu conhecimento sem igual das ligações químicas deveria ter lhe dado uma vantagem, mas ele tinha imagens de raios X de baixa qualidade para trabalhar.

A ideia de que a estrutura fosse alguma espécie de hélice estava ganhando terreno. Pauling havia descoberto a estrutura de alfa-hélice em proteínas, e as primeiras fotografias poderiam ser interpretadas como comprovação dessa teoria. Rosalind, no entanto, afastou a ideia de hélice, juntamente com a construção de modelos, que ela ridicularizava, preferindo os próprios métodos de medição.

PROGRESSO AOS TRANCOS

Watson viu Rosalind pela primeira vez em 1951, quando ela estava apresentando algumas de suas fotografias de raios X e mostrando o tamanho e a forma básicos de filamentos de DNA em uma apresentação, em Londres. No entanto, ele não prestou atenção suficiente para poder usar a informação de forma apropriada. Crick e Watson fizeram um modelo com base na lembrança imperfeita das evidências dela, que mostrava a molécula como uma tripla hélice. Era um modelo cheio de defeitos, como ela apontou com satisfação quando eles lhe mostraram.

Um conhecimento melhor de química poderia tê-los salvado da humilhação. Crick e Watson sugeriram unir forças com Rosalind, mas ela recusou. O diretor do Cavendish, envergonhado, disse à dupla que parasse de trabalhar com o DNA e deixasse o problema para Londres. Eles fingiram obedecer.

Rosalind continuou trabalhando na própria ideia da estrutura em voo solo, já que não cooperava com Wilkins. Ela havia identificado duas formas de DNA, variando de acordo com a umidade. Deixou de lado sua fotografia mais impressionante da forma molhada, que chamou de Foto 51, já que estava mais interessada na forma seca. Ela trabalhava devagar, determinada a encontrar a solução apenas por meio de fotos e cálculos.

Linus Pauling, trabalhando sem o benefício das fotografias de raios X de Rosalind, chegou a uma estrutura de tripla hélice em janeiro de 1953. Ele escreveu a seu filho, que trabalhava no Cavendish, contando a notícia e enviando-lhe um rascunho de seu artigo que explicava a estrutura. Crick e Watson ficaram aliviados ao ver que Pauling havia cometido o mesmo erro que eles.

DESCOBERTA

Antes de sair do King's College para ir trabalhar em Birkbeck, também em Londres, com vírus, a biofísica deu um último seminário em que reafirmou sua crença de que a estrutura do DNA não era uma hélice. Watson a visitou alguns dias depois para mostrar-lhe o artigo de Pauling, mas os dois discutiram. Com medo de que ela o agredisse, ele saiu rapidamente e trombou com Wilkins. Este mostrou-lhe a melhor fotografia de Rosalind – provavelmente a Foto 51 – sem que ela soubesse. A imagem mos-

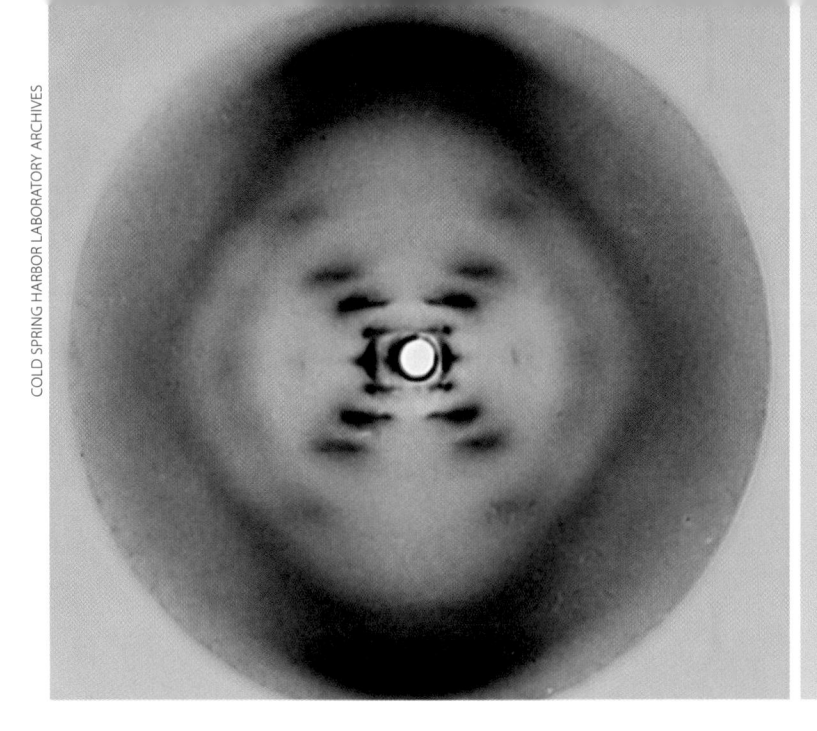

A "Foto 51", obtida por Rosalind Franklin: a partir desta imagem, a estrutura do DNA pôde enfim ser desvendada

trava claramente que a estrutura deveria ser uma hélice. "Fiquei boquiaberto e meu pulso começou a acelerar", relembra Watson. Ele rascunhou o que vira na margem de um jornal na viagem de trem de volta a Cambridge. Crick e Watson levaram apenas um mês para aperfeiçoar seu modelo depois disso.

O DNA, ENFIM

O modelo final de ambos mostra uma dupla hélice feita de duas cadeias unidas de nucleotídeos. Dois filamentos externos são mantidos à mesma distância por pares de bases de nucleotídeos que se unem no centro, como os degraus de uma escada. As bases são pareadas sempre da mesma forma: adenina com timina e guanina com citosina. Revelar a estrutura do DNA realmente mostrou como ele funciona. Os dois filamentos se separam, e cada um age como um molde, permitindo que o outro se regenere – onde há uma adenina, deve ser adicionada uma timina à sua frente, e assim por diante. À medida que as células se dividem para se multiplicar, o DNA é copiado exatamente em cada nova célula.

SEGUINDO EM FRENTE

Crick continuou a trabalhar no mecanismo do DNA com Watson até 1966, quando ele se voltou para a embriologia. Mais tarde, perseguiria um antigo interesse pela consciência e redes neurais. No final da vida, passou a defender algumas ideias exóticas, incluindo a teoria de que a vida na Terra havia se originado do espaço sideral e sua crença de que a genética deveria ser usada para aperfeiçoar a espécie humana. Ele morreu em 28 de julho de 2004.

Watson continuou a trabalhar com genética, lecionando em Harvard e no Caltech. Ele se tornou o chefe do Projeto Genoma Humano em 1988. Wilkins continuou a lecionar em Londres e a fazer campanha contra as armas nucleares. Ele morreu em 5 de outubro de 2004.

Apesar de nunca ter recebido crédito por seu papel na resolução do mistério do DNA, Rosalind ficou satisfeita pela descoberta da estrutura. Ela trabalhou com vírus no Birkbeck College até sua morte precoce de câncer, em 16 de abril de 1958.

PRÊMIO NOBEL, MAS NÃO PARA TODOS

A estrutura do DNA como demonstrada por Crick e Watson foi aceita imediatamente, mas quando foi dado um Prêmio Nobel pelo trabalho, em 1962, Rosalind Franklin já havia morrido. Os Nobéis não são dados postumamente.

Hawking: doença degenerativa não impediu uma obra que ligou física quântica à astronomia

Stephen Hawking

1942

MESTRE DO UNIVERSO

O COSMOLOGISTA BRITÂNICO É UM DOS MAIORES CIENTISTAS VIVOS, E SEU TRABALHO BRILHANTE SOBRE OS BURACOS NEGROS NO ESPAÇO INFLUENCIOU PROFUNDAMENTE NOSSA COMPREENSÃO DO UNIVERSO

Há um século, os astrônomos acreditavam que o universo era pouco maior que a Via Láctea, e completamente estável e imutável. No entanto, nas primeiras décadas do século XX, essa visão foi profundamente abalada, com telescópios poderosos revelando que havia incontáveis galáxias. Na década de 1920, Hubble descobriu que todas essas galáxias estão se afastando rapidamente de nós, o que significa que o universo se expande a uma razão fenomenal.

Essas ideias extraordinárias, gradualmente, impactaram o mundo da ciência, mas vários cientistas logo viram algumas implicações. Em 1917, por exemplo, dez anos antes de Hubble, o astrônomo russo Aleksandr Friedmann inferiu a expansão do universo a partir da relatividade de Einstein. O alemão discordou e ficaria chocado quando Hubble provou que Friedmann estava certo.

Essa era a segunda vez que a interpretação de Einstein sobre a relatividade era desafiada, novamente de forma acertada. Um ano antes, em 1916, o astrônomo alemão Karl Schwarzschild usara a teoria de Einstein para calcular o que acontece quando uma estrela entra em colapso sob a força da própria gravidade. Ele concluiu que, à medida que a estrela se contrai, sua gravidade se torna tão poderosa que nada, nem mesmo a luz, pode escapar; ela se torna um "buraco negro" no espaço. Tal buraco, como se descobriria depois, centrava-se em um ponto ínfimo chamado de singularidade, onde o tempo e todas as forças se tornam uma coisa só. O tamanho a que uma estrela deve encolher antes de se tornar um buraco negro chama-se, apropriadamente, raio de Schwarzschild e é de cerca de 3 quilômetros para uma estrela do tamanho do nosso Sol.

Pelo meio século seguinte, os cientistas começaram a voltar o relógio do universo em expansão e as equações mostraram que, apesar de hoje ele ser grande, uma vez deve ter sido muito, muito pequeno. A conclusão foi que ele começou com uma explosão há cerca de 13 bilhões de anos, no que veio a se chamar de Big Bang.

A teoria do Big Bang logo se estabeleceu firmemente, apesar de a compreensão do processo ser imperfeita. Os buracos negros, no entanto, continuaram controversos. Eles não poderiam, por definição, ser vistos. Alguns cientistas russos argumentavam que não poderiam existir, porque dependiam de a estrela entrar em colapso de forma perfeitamente simétrica, o que, para eles, era muito improvável.

É digno de nota que, enquanto a relatividade teve papel central tanto na teoria do Big Bang quanto na dos buracos negros, a física quântica parecia quase jogada para escanteio. Ela parecia se referir apenas ao nível subatômico, e não à escala do universo. Foi a sacada brilhante de Stephen Hawking que juntou Big Bang, buracos negros, relatividade e a física quântica numa extraordinária imagem teórica das forças cósmicas em ação.

Bem jovem, Hawking percebeu que o Big Bang pode ser um buraco negro ao avesso, expandindo-se a partir de uma singularidade. No início da década de 1970, ele concluiu que os efeitos quânticos poderiam se aplicar ao "horizonte de eventos" – a borda dos buracos negros. Se de fato fosse assim, esses efeitos fariam com que o buraco negro brilhasse levemente – então, talvez, ele fosse detectável. Isso daria concretude a uma teoria. Esse brilho viria a ser chamado radiação de Hawking.

Hawking trouxe a física quântica ao campo da cosmologia, abrindo caminho para uma teoria do universo que abarcasse tudo. É isso que ele e seus colegas buscam nesse exato momento.

PEQUENO *NERD* BRILHANTE

Stephen Hawking hoje é famoso também pela terrível doença degenerativa que o deixou completamente paralisado e capaz de falar apenas com voz sintetizada. A moléstia se chama esclerose lateral amiotrófica (ELA) e danifica as células nervosas na espinha que controlam os músculos voluntários do corpo. Quando diagnosticado nos anos 1960, aos 22 anos, ele teria apenas alguns anos a mais de vida. Contra todas as expectativas, permaneceu vivo – e extremamente lúcido.

Hawking nasceu em 8 de janeiro de 1942, em Oxford, para onde seus pais haviam se mudado a fim de fugir da Blitz de Londres. Quando ele tinha 8 anos, a família se mudou para St. Albans, bem próximo a Londres. Era uma criança bem retraída. Um amigo se lembra de como o "pequeno *nerd* brilhante" começou a se desenvolver como alguém com uma "arrogância absoluta".

Com 17 anos, ele prestou exame para Oxford e ganhou uma bolsa para estudar ciências naturais. Dono de um diploma de primeira categoria três anos depois, foi para Cambridge estudar cosmologia. Alguns meses depois, após algumas estranhas quedas, ele seria diagnosticado com ELA.

Por volta dessa época, ele estava conhecendo Jane Wilde, então com 18 anos, e se apaixonando por ela. Isso pode ter lhe ajudado a se manter determinado, apesar da doença. "Sonhei que seria executado", ele se recordaria. "De repente, percebi que havia um monte de coisas que valiam a pena eu fazer, se eu tivesse mais tempo." Dois anos depois, ele e Jane se casaram, e ela permaneceu como seu esteio por 25 anos. Contra todas as probabilidades, tiveram três filhos.

Hawking logo começaria a ser conhecido. Durante uma palestra do respeitado Fred Hoyle na Royal Society, o astrônomo insistia que o universo não estava em expansão perpétua, mas pairando entre a ex-

BURACOS NEGROS E INCERTEZA

Hawking demonstrou o poder da matemática no conhecimento do cosmos. Nos anos 1970, ele percebeu uma estranha similaridade entre o horizonte de eventos de um buraco negro e a segunda lei da termodinâmica, a qual diz que um sistema isolado sempre tenderá a ganhar entropia (se tornar mais caótico) e nunca se tornará mais ordenado se deixado sozinho. Hawking disse que era como uma casa: se deixar de ser consertada, gradualmente se deteriorará. Da mesma forma, ele percebeu que a superfície de um buraco negro só pode ficar do mesmo tamanho ou se expandir – nunca pode encolher ou ficar mais ordenada.

Para entender por que isso acontecia, ele levou em conta o princípio da incerteza de Heisenberg. Este havia mostrado que não é possível ter certeza do momento e da posição de um objeto ao mesmo tempo, já que a forma de determinar a questão vai distorcer um ou a outra. Na escala normal, essa distorção é tão pequena que não importa, mas, no nível de partículas subatômicas, ela é crucial, e leva a todos os tipos de "efeitos quânticos" estranhos, em que as partículas aparentemente ignoram as leis da física clássica e pulam e aparecem por toda parte. É difícil explicar como isso pode acontecer, mas os efeitos quânticos se mostraram reais e são a base de tecnologias como o laser.

Um dos aspectos mais incríveis do princípio da incerteza de Heisenberg é o que ele diz sobre o espaço vazio, porque seria um estado preciso – e não existe estado preciso. Para criar o que seria um provável espaço vazio, pares de partículas "virtuais" – positivas e negativas – deveriam oscilar de ambos os lados do zero, que é o espaço vazio. Quando elas se encontram, se aniquilam mutuamente, mas estão constantemente oscilando para dentro e para fora do espaço.

Hawking percebeu que a oscilação e o aparecimento de partículas virtuais ocorriam por todo o horizonte de eventos de um buraco negro. As partículas negativas seriam atraídas para dentro do buraco negro e as positivas, empurradas para fora. As partículas negativas impedem o tamanho do buraco negro de diminuir. As partículas positivas expelidas aparecem como calor minúsculo – apenas alguns milionésimos de grau acima do zero absoluto –, mas teoricamente mensurável. Então, os buracos negros não são negros, mas emitem uma radiação térmica, que passou a ser chamada radiação de Hawking.

Ele foi além e sugeriu que, assim como uma estrela que perde radiação gradualmente diminui, um buraco negro finalmente evaporaria como radiação pura – isso é, explodiria. Suas ideias foram publicadas na revista *Nature* em um artigo intitulado "Explosões de buracos negros?", que é hoje reconhecido como um dos clássicos da cosmologia.

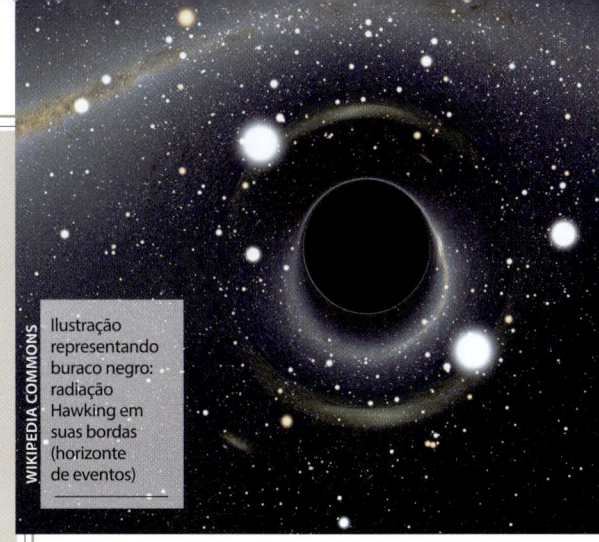

Ilustração representando buraco negro: radiação Hawking em suas bordas (horizonte de eventos)

pansão e a contração. Ao final, depois que os aplausos a Hoyle terminaram, o jovem aluno de graduação Hawking levantou-se e disse: "O valor de que você fala diverge". Se a afirmação fosse verdadeira, o argumento de Hoyle seria inútil. "É claro que não diverge," respondeu. "Diverge, sim", insistiu Hawking. "Como você sabe?" "Porque eu calculei." E ele havia calculado mesmo.

INVESTIGANDO OS BURACOS NEGROS

Hawking se interessou pelo trabalho do matemático Roger Penrose sobre os buracos negros. Penrose havia mostrado que bem no centro, dentro do horizonte de eventos, deve haver um ponto em que toda a massa se reduz a nada – um ponto chamado de singularidade. Hawking inverteu essa teoria para pensar as origens do universo e sugeriu que o Big Bang teria sido, basicamente, um buraco negro ao contrário, e que ele deveria ter começado como uma singularidade, um ponto infinitesimalmente pequeno que continha toda a substância do universo.

A tese de Hawking logo foi aceita pela comunidade cosmológica e sua reputação cresceu, enquanto o corpo começava a se deteriorar. Ele mal era capaz de escrever. Sua esposa, Jane, passou a datilografar suas notas. Em 1974, ano em que foi eleito para a Royal Society, ele era capaz de se mover só em uma cadeira de rodas e a voz se tornara um grunhido inteligível apenas para poucos.

Uma imagem do jovem Hawking antes do desenvolvimento da sua doença e com Jane, primeira esposa e mãe de seus três filhos

No entanto, a mente permanecia firme. No final da década de 1970, ele fez talvez sua descoberta mais famosa, mostrando não apenas que os buracos negros podem ser detectados, mas também que podem vir a explodir. Essa era uma ideia tão radical que nem todos a aceitaram, e alguns cosmologistas ainda a refutam.

UMA BREVE HISTÓRIA DO TEMPO

No início dos anos 1980, Hawking começou a ditar ideias para um livro popular de cosmologia, em parte para levantar dinheiro para a educação dos filhos. Ele terminou-o em 1985 e foi a Genebra visitar o acelerador de partículas do CERN, enquanto Jane tirava merecidas férias, deixando uma enfermeira e um assistente de pesquisas cuidarem dele.

Alguns dias depois, Hawking teve dificuldade para respirar e foi levado às pressas para o hospital. A traqueia havia sido bloqueada por uma pneumonia, e a única forma de salvar sua vida era fazer uma traqueotomia, o que significava que ele nunca mais conseguiria falar. Jane correu de volta para seu lado.

Os Hawkings voltaram para Cambridge, com Stephen capaz de se comunicar apenas piscando os olhos. Quando a notícia se espalhou, o especialista em computação californiano Walter Woltosz ofereceu a ajuda de um computador que sintetizaria uma voz com apenas um pequeno movimento de dedo. Foi preciso muito treinamento, mas Hawking finalmente o dominou, adquirindo a voz sintetizada que é familiar para tantas pessoas hoje.

Seu livro *Uma breve história do tempo* foi publicado em 1º de abril de 1987. Para surpresa geral, se tornou o livro científico mais vendido da história. Ninguém sabe ao certo por que ele foi tão bem, mas o homem sempre buscou verdades sobre o universo. E muitos podem ter sentido que aquele homem tão estranho quanto brilhante pudesse tê-las. Aliás, no capítulo final, Hawking fala sobre a natureza de Deus.

ANOS RECENTES

Hawking tornou-se uma megacelebridade, mas continuou a pensar em teorias que juntassem todas as leis da física numa única equação simples. Um filme sobre seu romance com Jane foi lançado em 2014, *A teoria de tudo*. Em 1990, o casal se separara e Hawking foi morar com sua enfermeira, Elaine.

Muitos imaginavam no início do século que as maiores conquistas de Hawking haviam ficado para trás. Então, em julho de 2004, ele fez um anúncio chocante. Por décadas, debatera com outros cientistas o "paradoxo da informação", que, seguindo sua visão quântica dos buracos negros, era a questão sobre se dados poderiam ou não ser recuperados de buracos negros. Hawking tinha tanta certeza de que não que fez uma aposta com Kip Thorne, do Caltech, que achava que sim. A plateia da conferência ficou boquiaberta quando ele anunciou que havia acabado de resolver o paradoxo – e perdido a aposta. Parece que as flutuações quânticas, como as que produzem a radiação de Hawking, de fato permitem que dados vazem. Em outras palavras, podemos, teoricamente, descobrir o que ocorre dentro de um buraco negro. Em agosto desse ano, Hawking voltou à carga, com a afirmação de que, se um buraco negro fosse suficientemente grande e estivesse girando, poderia haver uma passagem a um universo alternativo. "Se cair em um buraco negro, não se renda", disse ele. "Há uma saída." E quem melhor do que ele poderia afirmar isso?